# Nowy Początek

# Nowy Początek

*John Chapman*

*Tłumaczyła: Małgorzata Thompson*

Tłumaczenie z oryginalnego wydania „A fresh start" opublikowanego przez
The Good Book Company, 1993, 2001
Fragmenty Pisma Świętego zaczerpnięte i opublikowane za zgodą
Wydawnictwa Pallottinum. Poznań
Fragmenty tekstu na stronie 60 tłumaczone z *There is a green hill far away*,
C.F. Alexander (1818–1895).

ISBN 978-1-905564-90-3
Opracowanie tekstu oraz redakcja techniczna Quinta Press, United
Kingdom.
Druk i oprawa CPD, United Kingdom.

# Spis treści

*Dla Paula, Jima i Hazel*

# *Słowo wstępne*

M OŻE DOSTAŁEŚ TĘ książkę od przyjaciela, albo właśnie zdecydowałeś się ją przeczytać. Wskaże Ci ona drogę, jak możesz stać się przyjacielem żyjącego Boga.

Jest napisana dla ludzi, którzy są przygotowani, aby inaczej spojrzeć na chrześcijaństwo. Stawia fundamenty. Mam nadzieję, że pomoże Ci ona w Twojej pielgrzymce do Boga.

Jestem chrześcijaninem od przeszło pięćdziesięciu lat. Każdy rok jest dla mnie bardziej ekscytujący od poprzedniego. Jeszcze do tej pory nie mieści mi się w głowie fakt, że Bóg tak bardzo troszczy się o mnie, iż zesłał Swojego Syna na świat, abym mógł stać się Jego przyjacielem. Przyjaźń ta była tak satysfakcjonująca dla mnie, że pragnę podzielić się nią ze wszystkimi.

Mam nadzieję, że książka ta stanie się dla Ciebie pomocna. Swobodnie posługiwałem się cytatami z Biblii. Może będzie to dla Ciebie wskazówką, jak zaznaczę, że zapisek (Ewangelia wg. Św. Łukasza 2:10) oznacza, że cytat pochodzi z Biblii, z księgi zwanej „Ewangelią według Św. Łukasza". Łukasz jest w Nowym

Testamencie, 2 jest numerem rozdziału, a 10 jest numerem wersetu w rozdziale drugim Ewangelii według Św. Łukasza.

Od czasu pierwszego wydania tej książki, spotkałem setki ludzi, którzy przeczytali ją i opowiedzieli mi, jak wielkie znaczenie odegrała ona w ich drodze do prawdziwego chrześcijaństwa.

To jest właśnie powodem, dla którego ją napisałem. Mam nadzieję, że i dla Ciebie stanie się ona pomocą w Twojej drodze do Boga.

*John Chapman*
Wrzesień 1997

# ROZDZIAŁ PIERWSZY

# *Jak to jest z Tobą?*

Pamiętam historyjkę o małym dziecku, które zapytało:

—Tato! Skąd się wziąłem? Trochę speszony ojciec posadził malucha i długo mu opowiadał o bocianach, pszczółkach i kwiatkach. Dziecko było bardzo zdziwione i zainteresowane. Kiedy ojciec skończył, zapytał:

—Czy wszystko jest jasne? Jego syn na to:

—Tak, dosyć jasne i bardzo interesujące, ale ja chciałem wiedzieć skąd jestem. Tommy Jones powiedział, że jest z Anglii. Ja też chcę wiedzieć skąd jestem.

Przez ostatnich dwadzieścia pięć lat rozmawiałem z setkami ludzi o tym, jak stać się chrześcijaninem. Niektórzy z nich wierzyli w Boga, niektórzy nie byli nawet pewni, czy On istnieje. Ci, którzy wierzyli w Boga, nie byli nawet pewni, tego, czy Jezus Chrystus był Synem Bożym, podczas gdy inni w to wierzyli. Niektórzy byli przekonani, że Jezus jest Synem Bożym, ale jakoś nie chcieli zmienić swojego życia, podczas gdy inni chcieli stać się chrześcijanami, ale nie wiedzieli jak. Nikt z nas nie jest dokładnie w takiej samej sytuacji w naszym życiu duchowym i to stawia mnie przed problemem. Nie chcę nikogo zanudzać moimi odpowiedziami na pytania, które mogą nie być dla Was interesujące. Chciałbym przygotować grunt do dokładnego rozpatrzenia tematu chrześcijaństwa. Dlatego też napisałem tę książkę w czterech częściach.

W pierwszym rozdziale zajmiemy się Bożym rozwiązaniem naszego problemu. W tej części przedstawiam, że Bóg istnieje, że Jezus Chrystus jest jego niezrównanym Synem, a także że Pismo Święte podaje nam dokładne informacje o Bogu.

Druga część jest napisana dla tych, którzy są niepewni istnienia Boga i tego, czy Jezus Chrystus jest Jego Synem. Pokazuje, że historie o Jezusie zawarte w Nowym Testamencie są wiarygodne i że Biblia podaje nam dokładne informacje o Bogu. Jeżeli do tego tematu nie masz już żadnych pytań, to przejdź od razu do trzeciej lub czwartej części.

W trzeciej części rozpatrujemy poważną odpowiedzialność odpowiedzenia Bogu i podążaniu Jego drogą, a nie naszą. Czwarta część przedstawia szczegółowo, co musimy zrobić, aby stać się chrześcijanami i jak mieć pewność, że nimi jesteśmy.

*Część Pierwsza*

# Nasz problem, Boże rozwiązanie

# ROZDZIAŁ DRUGI

## *Czasem jestem traktowany jak kawałek drewna*

Każdego poranka o godzinie szóstej wyrywa mnie ze snu dźwięk budzika, wtedy włączam radio i słucham wiadomości o tym, co się wydarzyło na świecie, podczas, gdy ja spałem. Potem zastanawiam się czy warto wychodzić z łóżka. Jak do tej pory było to całkiem przyjemne.

Pewnego poranka usłyszałem o zamachu na egipskiego prezydenta — Sadata. Z tego, co wiem nikt nigdy nie próbował mnie zamordować, ale jak słuchałem porannych wiadomości, zastanawiając się nad nimi, doszedłem do przekonania po raz wtóry, że zamach demonstruje ostateczność w rozbitym związku pomiędzy ludźmi. Zamachowiec nie tylko nie chce być przyjacielem swojej ofiary, ale jego czyn jest umyślnie zaplanowany, aby zapewnić niemożność rozwoju przyjaźni w przyszłości. Zamachowiec usuwa drugą osobę ze sceny. Bezwzględna odmowa wzajemnych relacji, wyraźnie mówiąca: nie chcę, abyś był moim przyjacielem.

**PO PROSTU GO ZIGNORUJĘ**

Są różne sposoby na odrzucanie ludzi, które demonstrują tę samą myśl, bez stosowania radykalnych środków. Pewnego razu na zebraniu wyraziłem moją opinię, która wydała mi się przydatna i bardzo wartościowa. Nastała śmiertelna cisza i po dłuższej przerwie cała dyskusja ciągnęła się dalej, tak jakbym nie powiedział ani słowa. Mój wkład został zignorowany. Jeszcze gorsze natomiast było zdanie sobie sprawy z tego, że zostałem odrzucony. Zostałem potraktowany jakbym był kawałkiem drewna i co więcej, wiedziałem o tym. Doświadczyłem tego samego uczucia, kiedy pewna osoba weszła do pomieszczenia, podchodząc do kogoś innego, a nie do mnie. Czasem jest to nieumyślny brak rozwagi, lecz gdy jest to zrobione umyślnie, odrzucenie jest wyraźne, tak jakbym został potraktowany jak Sadat. Takie odrzucenie jest zawsze bolesne i zazwyczaj mnie złości.

—Tutaj jestem! — chce mi się krzyczeć — Mogę nie być zbyt inteligentny, ale jestem człowiekiem. Nie jestem niczym i znaczę o wiele więcej niż kawałek drewna.

Kiedykolwiek coś takiego się zdarza, krytykuję takie zachowanie. Jednakże jesteśmy dziwnymi ludźmi. Dlaczego potępiam takie zachowanie u innych ludzi, jeśli sam u siebie to usprawiedliwiam, a nawet popieram. Bez względu na to, że nie cierpię tego, gdy jestem ignorowany, nie miałem kiedyś żadnych trudności z odnoszeniem się do Boga w dokładnie taki sam sposób. Po prostu go ignorowałem. Nie zawracałem sobie nim głowy i nie chciałem, aby i On sobie mną zawracał głowę. Żyłem w świecie, który mówił mi, że On istnieje. Nie byłem nieświadomy Jego egzystencji, ani też w nią nie wątpiłem. Pomimo tego odnosiłem się do Niego, jakby to On był kawałkiem drewna. Pogarda była tak jasna, jakbym wybrał się w szaleństwie na antychrześcijańską walkę. Czy mogłem się spodziewać, że Bóg będzie zraniony moją reakcją w stosunku do Niego? Sam siebie osądziłem przez moją złość do tych, którzy ignorowali mnie, którzy mną pogardzili.

### ZAWSZE, KIEDY MAM KŁOPOT

Pewnej nocy podwiozłem moim samochodem młodego mężczyznę, który wędrując zatrzymał mnie na drodze.

—Jaki miałeś wieczór? — zapytałem.

—Taki sobie. Widziałem się z moją dziewczyną. A jaki był twój?

—Dobry.

—Z czego żyjesz? — zapytał.

—Pracuję dla kościoła anglikańskiego.

—Co robisz?

—Zatrudniają mnie, abym próbował przekonywać ludzi, by zostali chrześcijanami.

—Mój kumpel właśnie stał się chrześcijaninem. Chodzi do baptystów.

—Czy chodzisz czasem do kościoła? — zapytałem.

—Kiedyś chodziłem ale już przez długi czas nie byłem. Aczkolwiek wierzę w Boga.

—Wspaniale!

—Czasem mówię pacierz — powiedział, (odniosłem wrażenie, iż myślał, że będę zachwycony).

—Kiedy to robisz? — zapytałem.

—Zwykle, kiedy mam kłopot — odpowiedział. Uśmiechnąłem się. Jak dobrze znam tę reakcję. Ja tak samo robiłem setki razy. Zawsze, kiedy miałem kłopot. O Boże! Jeżeli pomożesz mi wyjść z tych tarapatów, to ja… Nigdy nie dotrzymywałem mojej obietnicy. Wydaje mi się, że nigdy nie miałem zamiaru! Aczkolwiek wydawało mi się, że miałem zamiar dotrzymać mojej obietnicy w danym momencie. Gdy jednak kryzys przeminął, zawsze zapominałem o danym słowie. Nie było żadnej przyjaźni pomiędzy Bogiem a mną. Szczególnie z mojej strony.

—Ja jestem niezadowolony, gdy ludzie mnie tak traktują, a ty? — zapytałem.

—Co masz na myśli? — w jego głosie słychać było zaskoczenie i zaintrygowanie.

—Zwykle jestem niezadowolony, kiedy ludzie tylko potrzebują mnie, gdy mają kłopot, albo gdy chcą mnie wykorzystać w taki czy inny sposób.

Nastała długa cisza i już nic nie powiedział. Jeszcze raz pomyślałem sobie, co za dziwną mieszaniną jesteśmy. Nie cierpimy tego, kiedy ludzie chcą nas sobie zjednać, aby nas wykorzystać. W tym samym czasie, kiedy my to robimy, myślimy, że On jest z tego zadowolony.

Jest to całkowicie nieodpowiedni sposób traktowania Boga; i po raz wtóry osądziłem się sam przez moją reakcję do tego młodego mężczyzny. Wydawało mi się, że jestem w stanie rozpoznać sprzeczność u innych o wiele szybciej niż u siebie samego.

## CZY ON MUSI CAŁY CZAS MIEĆ RACJĘ ?

Jestem na wielkiej uroczystości. Jest duży tłum, zaczynam rozmowę z nieznajomym obok mnie. Jest miły i czuję się przy nim dobrze. Ostatnio przeczytałem książkę *„Mikołaj i Aleksandra"* Roberta K. Massie'go, pamiętam horrory wojny z lat 1914–1918 i uczestnictwo Rosji w tej wojnie. Mogę powiedzieć, że chociaż większość mojej wiedzy pochodzi z tej książki, nie powstrzymuje mnie to przed wypowiadaniem się, jakbym był specjalistą w tej dziedzinie. Po około piętnastu minutach zamilkłem, aby złapać oddech i zapytałem mojego nowego kolegę, jaki wykonuje zawód.

—Jestem wykładowcą tutaj na uniwersytecie — odpowiedział.

—W jakiej dziedzinie?

—Historia.

—Starożytna czy nowożytna? (Jeszcze miałem nadzieję.)

—Tak naprawdę to robiłem mój doktorat o uczestnictwie Rosji w wojnie w latach 1914–18. (Tego mi tylko brakowało!)

I co ja mam teraz zrobić? Mogę rozmawiać o pogodzie albo o piłce nożnej. Mogę kontynuować, jakbym naprawdę wiedział, o czym mówię, kiedy tak naprawdę jestem tylko amatorem. W przeciwnym wypadku mogę się przyznać, że tylko tak paplałem i poprosić go, aby jako ekspert przedstawił mi całą prawdę. Jedna rzecz jest pewna, jeżeli ma być pomiędzy nami jakaś pozytywna więź, to ja muszę przestać udawać, że jestem mu równy (co najmniej w zakresie historii). Potrzeba abym zdał sobie sprawę, że on wie więcej ode mnie. Jeżeli ja tego nie zrobię, a będę kontynuował rozmowę, jakbym wiedział na ten temat tyle samo, co on, mogę być pewien, że gdy wróci on do domu, to powie swojej żonie:

—Kim był ten nudziarz?

Jeśli jednak pozwolę mu podzielić się ze mną jego wiedzą, to nie ma żadnego powodu na tym świecie, aby on nie został moim kolegą. Gdyby to się stało rzeczywiście, to jest duża szansa na to, że ja naprawdę nauczę się tej części historii. Nasza cała więź będzie miała oświecający efekt. On mnie nauczy ze swojej wiedzy tego, czego ja bym się sam nie nauczył.

Wszystkie związki międzyludzkie funkcjonują w taki sposób. Jeżeli ja wiem więcej od Ciebie na jakiś temat, to Ty zauważysz i docenisz to. Jeśli Ty wiesz więcej ode mnie, to jest wtedy sytuacja odwrotna. Jeśli my oboje nie mamy o niczym pojęcia, to będziemy prowadzić energiczne dyskusje. Natomiast, gdy będę udawał, że jestem ekspertem, gdy w rzeczywistości jestem amatorem, możesz być pewien, że będę straszliwym nudziarzem.

Kiedy zetknąłem się z chrześcijaństwem i zacząłem rozumieć, czym ono jest, jednym z moich największych problemów w tym czasie było to, że nie chciałem, aby Bóg był *Bogiem*, przynajmniej nie dla mnie. Aczkolwiek nie miałem nic przeciwko temu, aby był On Bogiem dla innych. Tak naprawdę to ta myśl o wiele bardziej mi się podobała. Po prostu nie chciałem, aby był On moim Bogiem. Nie byłem zbyt pewien czy chciałem mieć coś wspólnego z kimś, kto był *ekspertem* we wszystkim. W rzeczywistości próbowałem odnosić się do Boga, jakby On wcale nie był ekspertem. Nie myślałem, że byłoby to takie dziwne, aby powiedzieć Bogu, że nie ma racji w swoich poglądach na życie — myślałem, że jest raczej zacofany — i myśl o podporządkowaniu mojego życia Jemu nigdy nie przeszła mi przez głowę.

Gdyby taka myśl się jednak pojawiła, to szybko bym się z nią rozprawił. Miałem zamiar być wolnym i nikomu nie ulegać. Moje nastawienie mogło tylko zrobić ze mnie samotnego człowieka. Potrzebowałem posiadać wszystkie dostępne środki do życia.

Kilka lat temu pracowałem w jednym z kościołów w Londynie. W naszej parafii był artysta malarz o imieniu Tim.

—Czy byłeś w Galerii Narodowej? — zapytał.

—Tak. Naprawdę wspaniała kolekcja.

—Czy widziałeś siedemnastowieczne obrazy holenderskie?

—Jeśli nawet je widziałem, Tim, to nie zwróciłem na nie szczególnej uwagi.

—Czy mogę cię zabrać któregoś dnia do Galerii i pokazać ci je? Jaki mam wybór? Mogę mu ulec jako ekspertowi lub mieć mu jego ekspertyzę za złe i powiedzieć: „będę bardzo zajęty, lecz kiedy będę miał chwilę czasu, dam ci znać".

W rzeczywistości poszedłem z nim. Ci, którzy widzieli kolekcję w Galerii, wiedzą co za 'biesiada' mnie czekała. Przeoczyłem ją. Jest to tylko niewielkie pomieszczenie z małymi obrazami na płótnie o bladych kolorach, nic takiego, co by natychmiastowo zwróciło moją uwagę.

—Czy wiesz, co ten malarz chciał zrobić? — zapytał Tim.

—Opowiedz mi — odpowiedziałem — naprawdę chcę o tym wiedzieć. Doświadczony długimi latami studiów, Tim zaczął mi tłumaczyć, co tak naprawdę miałem przed oczami. Tak jakbym był niewidomy. Byliśmy tam tylko przez pół godziny, ale cały świat się przede mną otworzył.

Nie przesadzę, jeżeli powiem, że nie byłem tym samym człowiekiem. Kiedykolwiek miałem wolną chwilę, szedłem do Galerii i siadałem w tym samym miejscu. Jestem pewien, że i Ty miałeś podobne przeżycie, może nie w sztuce, lecz w innych dziedzinach. Może kiedyś zaprowadzono Cię w jakieś piękne miejsce, do którego potem wracałeś wiele razy. Może coś przeoczyłeś, a ktoś pokazał Ci piękno zawarte w tym. Jest to częścią przyjaźni. Może ktoś pokazał Ci jakiś wyjątkowy sposób pływania na desce na falach morza, a to wzbogaciło Twoje umiejętności.

Było to częścią przyjaźni.

Jak dziwnie jesteśmy skonstruowani. Jak mogłem to pojąć i dzielić się tym wszystkim z moimi przyjaciółmi, w tym samym czasie popełniając błąd w stosunku do Boga. Najlepsze co mogłem zrobić, to traktować Go jakby był mi równy. Najgorsze co robiłem, to traktowałem Go, jakbym o wiele więcej od Niego wiedział. Odepchnąłem Go od siebie, trzymałem Go w zasięgu ręki i nie pozwoliłem Mu podzielić się ze mną Jego światem i życiem. Nigdy tak naprawdę tego dobrze nie przemyślałem, ale było to tak, jakbym powiedział:

—Jestem całkowicie samowystarczalnym człowiekiem. Nie potrzebuję Twojej przyjaźni.

## ZŁAPANY W MOJĄ WŁASNĄ SIEĆ

Złościły mnie sposoby, które ustanowiłem sobie na odnoszenie się do Boga, kiedy byłem tak samo traktowany przez ludzi. Nie cierpiałem tego, gdy byłem ignorowany i traktowany jak kawałek drewna. Nie reagowałem z zadowoleniem, kiedy ludzie bredzili na jakiś temat, o którym tak naprawdę nie wiedzieli dużo. Doprowadzało mnie to do bólu głowy. Zostałem złapany w moją własną sieć.

Ignorowałem Boga i żyłem tak, jakby Go nie było. Wykorzystywałem Go. W kłopotach moim modlitwom towarzyszyły obietnice. Przeciwstawiałem się Bogu i poprawiałem Go, kiedy wydawało mi się, że jest w błędzie. Nie byłem jego przyjacielem.

Wiem, że w tym przypadku nie jestem sam.

Ale czy my wszyscy tacy jesteśmy?

# ROZDZIAŁ TRZECI

# *Coś jest naprawdę nie w porządku*

POTRZEBUJEMY TYLKO SPOJRZEĆ na świat wokół nas, aby się zorientować, że coś jest radykalnie nie w porządku. Nie mamy zbytnich umiejętności rozwiązywania naszych problemów. Przynajmniej nie tych, które dotyczą ludzi. Na międzynarodowej arenie jesteśmy raczej lepsi w walce niż w wydostawaniu się z niej.

Miałem piętnaście lat, gdy skończyła się druga wojna światowa. Była to wojna, która miała zakończyć wszystkie inne wojny. Cóż to były za słowa pełne uniesienia! Teraz w świetle Suezu, Korei, Kuby, Wietnamu, Środkowego Wschodu, Kambodży, Północnej Irlandii, Węgier, Polski, Falklandów, Afganistanu, Wojny w Zatoce Perskiej, Bośni, Rwandy i okropnej biedy Trzeciego Świata, słowa te wydają się naszym uszom dziwne. Faktem jest, że nie mamy zbytnich umiejętności w życiu razem na tym świecie.

To, co się dzieje na scenie międzynarodowej jest tylko trochę poważniejsze od tego, co wydarza się na naszej scenie narodowej. W mojej pamięci jest jeszcze cały czas masakra w Port Arthur. Wstrząsnęło nami śledztwo dotyczące policyjnej korupcji. Co wieczór widzę w telewizji rodziców mówiących o zgwałconej czy też zamordowanej córce i o przestępcy, który po krótkim czasie wyszedł z więzienia. Pamiętam jedna osobę, która płakała:

—Myśleliśmy, że nasza córka była o wiele więcej warta niż trzy lata życia tego człowieka.

Kiedy spojrzymy na mniejszą część naszej społeczności, na rodzinę, odnajdujemy taki sam problem. Sprawy te nie są tylko w taki sam sposób publikowane. Chciałem się dowiedzieć, jaka jest ludzka reakcja, kiedy rozmawiamy na temat małżeństwa i życia rodzinnego. W większości przypadków ludzie wypowiadają się wprost:

—Rzecz jest pewna, nie wyszło tak, jak myślałem. Niektórym wypadło lepiej niż sobie tego życzyli, dla większości to jednak ciężka praca.

Dlaczego musimy tak ciężko pracować, aby to, co dobre utrzymać w dobrym stanie? Dlaczego to, co jest dobre, gorzknieje, chyba, że pracujemy nad tym przez cały czas? Dlaczego podczas kłótni o wiele łatwiej jest powiedzieć coś ciężkiego, okrutnego i bolesnego niż coś uspakajającego i pojednawczego? Negatywne reakcje i nastawienia wydają się przychodzić mi naturalnie i domyślam się, że w tym przypadku nie jestem sam! Jak często mówiłem:

—Nie będę już więcej kłócił się z ojcem. Takie utarczki były bardzo nieprzyjemne. Nie cierpiałem ich i jestem pewien, że i on ich nie cierpiał. Mimo tego byłem bezsilny, kiedy próbowałem się z tym uporać. Wiedziałem, że w naszej rodzinie, będąc oddanymi sobie nawzajem i działając dla dobra innych, bylibyśmy o wiele szczęśliwszą paczką. Jednak uparcie wierzyłem, że jeżeli wszyscy poszliby mi na rękę, byłbym szczęśliwy. Nie miałem problemu z zaakceptowaniem sprzeczności zawartej w tej teorii. *Dlaczego tacy jesteśmy?*

Nawet kiedy jesteśmy osamotnieni, kiedy znajdujemy się w fatalnej sytuacji, w dalszym ciągu walczymy z tym samym. Często jesteśmy pełni obaw, kiedy poznajemy nowych ludzi, kiedy znajdujemy się w nowych dla siebie okolicznościach. Nie żyjemy w zgodzie z samym sobą, martwi nas to, co ludzie o nas myślą. Tracimy cierpliwość. Brakuje nam opanowania i szacunku dla innych. *Dlaczego tak jest?*

## TO NIE JEST CAŁY WIZERUNEK

Po napisaniu tego wszystkiego, zdaję sobie sprawę, że to nie jest nasz cały wizerunek, ani pełne spojrzenie na ten problem. W rzeczywistości życie nie jest takie ponure. Od czasu do czasu sam siebie zadziwiam moją umiejętnością robienia czegoś pożytecznego i czasem jestem zdolny do zrobienia tego spontanicznie. Widzę wokół siebie ludzi poświęcających się dla innych i muszę to powiedzieć:

—Ten świat, w którym żyjemy, jest dobry.

Całe kraje, jak również indywidualne osoby, dochodzą do wielkich osiągnięć dla ludzkości. Czytałem niedawno sprawozdanie o wielkim odkryciu w badaniach naukowych nad miażdżycą. Cóż to byłaby za wspaniała rzecz. Tym niemniej, naprawdę wspaniałe jest to, że są ludzie, którzy w ogóle pracują w tej dziedzinie. Po tym wszystkim wyłączają mi elektryczność, bo pracownicy elektrowni strajkują i przypominam sobie, że cały wizerunek sprawy to pomieszanie dobra ze złem.

W sytuacjach rodzinnych doświadczyłem wielkich chwil

miłości, czułości i wybaczenia, zrozumienia i zaufania, wtedy mówiłem:

—Jak wspaniale jest żyć!

W wielu częściach świata, gdzie przebywałem, brakowało mi oddechu w piersiach, kiedy widziałem piękno i majestat świata. Przez wiele lat mieszkałem w Moree, małym miasteczku na północy Nowej Południowej Walii. Tereny te są tak płaskie, że dziewięćdziesiąt procent całego pejzażu wydaje się być niebem przed moimi oczami. Miałem w zwyczaju czekać niecierpliwie do wieczora. Zachody słońca były tak piękne, całe niebo płonęło intensywnymi kolorami.

—Co za wspaniałe miejsce do zamieszkania — mówiłem sobie. Taka sama była moja reakcja, kiedy po raz pierwszy znalazłem się na plaży Siedmiu Mil, patrząc na złoty piach, błękitne morze i kilometry toczących się fal. Byłem pełen radości, mknąc na falach morza jak torpeda na desce, wykrzykując:

—Jak wspaniale jest żyć!".

Pewnego poranka bardzo wcześnie rano, kiedy wyjeżdżałem z Bombaju, pojechałem autobusem na lotnisko. Na ulicach i na ścieżkach spali ludzie. Śmiecie i odchody były wszędzie. Strasznie śmierdziało. Wiedziałem, że niektórzy chorzy byli nieżywi, a inni umierali, byłem przerażony. Zwróciłem się do mężczyzny, który stał obok mnie:

—To jest najgorszy widok, jaki widziały moje oczy.

—Widać, że nie byłeś w Kalkucie — odpowiedział mi — Właśnie mówiłem żonie, jak czyste jest to miasto w porównaniu z Kalkutą. Zrobiło mi się niedobrze i rzekłem:

—Jak beznadziejnie spaskudzony jest ten świat.

Odpowiednim opisem całego wizerunku jest pomieszanie dobra ze złem. Mogę udawać, że wszystko jest dobre albo wręcz odwrotnie. Mogę zachować się jak dziecko, po prostu zamknąć oczy na problemy i udawać, że nie istnieją. Albo mieć cały czas depresję i koncentrować się na tym, co jest złe.

Jedyną drogą naprzód jest życie w świecie rzeczywistym. Zdając sobie sprawę, że tak jest, chcę krzyczeć:

—Dobrego jest naprawdę za mało. To, co dobre — to rzadkość, a ja w pocie czoła muszę się wysilać, aby się tego doszukać i trzymać to w ręku. Czasem nie jestem w stanie nic zrobić w sytuacji, w jakiej się znajduję. Jeden z moich znajomych ma paraliż mózgowy i samo powiedzenie „dzień dobry" zajmuje mu sporo czasu. Jest on absolwentem uniwersytetu, a jego wspaniały intelekt jest uwięziony w nieopanowanym ciele. Ma spazmatyczne ruchy. Dobrego jest naprawdę za mało. Lecz po raz wtóry chcę zadać pytanie:

*Dlaczego tak jest?*

## DLACZEGO TAK JEST?

W Biblii jest objaśnienie. Jest to w Księdze Rodzaju — w pierwszej księdze Pisma Świętego. Księga ta mówi nam o początku świata. Odbyło się na ten temat wiele debat czy ta część Biblii ma być odebrana jako spis wydarzeń historycznych, czy też ma być odebrana metaforycznie. Nie mam zamiaru wdawać się w debaty na ten temat, bez względu na to, która strona ma rację, pointa tej księgi jest jasna, w rzeczywistości zbyt jasna.

Zanim spojrzymy na to, co jest tam napisane, pomocnym będzie uwzględnienie faktu, że jeżeli interesuje nas temat stworzenia, to Pismo Święte zaabsorbowane jest bardziej zagadnieniami: *kto i dlaczego* niż *w jaki sposób*. W jaki sposób coś działa i co możemy z tym zrobić, to zaabsorbowanie wieku naukowo-technicznego. Rzadko, kiedy udaje nam się zadać pytanie: „kto to zrobił?", a jeszcze rzadziej: „dlaczego zostało to zrobione?" Pamiętam, kiedy po raz pierwszy ujrzałem kręgielnię. Kręgle były. przewracane, zbierane, segregowane i ponownie stawiane na swoje miejsca. Zapytałem osoby, która była ze mną: —Jak myślisz, jak to działa? Do tej chwili nie przyszło mi do głowy, aby dowiedzieć się, kto to wynalazł.

Pismo Święte ma inną perspektywę. Jego głównym tematem jest, *kto* stworzył świat i *dlaczego*. Musimy naprawdę o tym pamiętać nie spodziewać się, że Pismo Święte da nam naukową odpowiedź, bo to nigdy nie było jego zamiarem.

## WSZYSTKO W RAJU BYŁO PIĘKNE

W pierwszym rozdziale Księgi Rodzaju, autor mówi nam, że Bóg wszystko stworzył, stworzył też ludzi, aby panowali nad całym stworzeniem. Autor nie podaje nam, *w jaki sposób* Bóg to zrobił, lecz informuje, że *to* zrobił. Autor podaje to w taki sposób:

„A wreszcie rzekł Bóg: Uczyńmy człowieka na Nasz obraz, podobnego Nam. Niech panuje nad rybami morskimi, nad ptactwem powietrznym, nad bydłem, nad ziemią i nad wszystkimi zwierzętami pełzającymi po ziemi!"

Stworzył więc Bóg człowieka na swój obraz, na obraz Boży go stworzył: stworzył mężczyznę i niewiastę.

Po czym Bóg im błogosławił, mówiąc do nich: „Bądźcie płodni i rozmnażajcie się, abyście zaludnili ziemię i uczynili ją sobie poddaną; abyście panowali nad rybami morskimi, nad ptactwem powietrznym i nad wszystkimi zwierzętami pełzającymi po ziemi. … A Bóg widział, że

wszystko, co uczynił, było bardzo dobre" (Księga Rodzaju
1: 26–28, 31).

W tej części zostaje zawarty związek małżeński i pod koniec tego
rozdziału jest piękny fragment: „Chociaż mężczyzna i jego żona
byli nadzy, nie odczuwali wobec siebie wstydu" (Księga Rodzaju
2:26). Nie myślę tak naprawdę, że to podanie ma dużo wspólnego
ze sprawami seksualnymi. To jest wypowiedź o związkach.
Obydwoje byli ze sobą całkowicie szczerzy i żadne z nich nie było
zagrożeniem wobec drugiego. Nie mieli nic do ukrycia. Jest to
opis idealnego związku.

Mam przyjaciela, który ma dwóch synów z
osiemnastomiesięczną różnicą wieku pomiędzy nimi. Kiedy toczą
bójkę, starszy chłopiec, będąc trochę większym, zawsze daje sobie
radę z młodszym bratem. Jednak młodszy ma sposób, którego
używa, kiedy porażka 'zagląda' mu w twarz. Po prostu mówi do
brata:

—Zostaw mnie albo powiem w szkole, że nadal śpisz z
misiem.

Ten sposób nigdy jeszcze nie zawiódł. Starszy brat jak
wystrzelony oddala się, trzęsąc się ze strachu, gdyż w
przeciwieństwie do kobiety i mężczyzny z drugiego rozdziału
Księgi Rodzaju, kiedy jest „obnażony", ogarnia go wstyd.
Wszyscy wiemy, co to znaczy. Wszyscy powiedzieliśmy coś albo
zrobiliśmy coś, o czym nie chcemy, aby ktokolwiek się
dowiedział, a być „obnażonym" oznacza wstyd.

Zanim autor Księgi Rodzaju dojdzie do końca rozdziału
drugiego, opisuje idealny świat, w którym ludzie żyją w przyjaźni
z Bogiem. Nie czują obaw ze strony Boga, siebie samych lub
świata wokół nich. Żyją w harmonii pod nadzorem Boga. Żyją w

ogrodzie Eden i mają pozwolenie na wszystko, z wyjątkiem jednej rzeczy. W samym środku raju znajduje się drzewo zwane „drzewem poznania dobra i zła", którego spożycie zostało Adamowi i Ewie zabronione, a dodatkiem do zakazu była dla nich kara: „Bo gdy z niego spożyjesz, niechybnie umrzesz".

Sprawa jest jasna. Bóg stworzył świat; Bóg stworzył ludzi; dał im wspaniały świat do zamieszkania; dał im władzę nad Jego światem i zrobił to wszystko w zamiarze, aby sprawowali rządy pod Jego nadzorem. Dał im wystarczającą możliwość zademonstrowania ich miłości i wdzięczności do Niego. Nie mieli prawie żadnych ograniczeń, tylko tyle, mieli być moralnie odpowiedzialnymi ludźmi.

Pod koniec drugiego rozdziału Księgi Rodzaju, wszystko w ogrodzie jest piękne, lecz nie jest to wizerunek świata, w którym my dziś żyjemy. W trzecim rozdziale Księgi Rodzaju, wszystko się rozpada. Ludzie grożą sobie nawzajem i sami są zagrożeni. Są zagrożeni przez swoje środowisko, grozi im Bóg i oni Jemu grożą. Małżeństwo się psuje. Praca jest ciężka i często niewdzięczna.

Idealny świat został zepsuty i stał się światem, który tak dobrze znamy. Dobro nadal istnieje, lecz jest zmieszane ze złem. Co się stało i dlaczego?

## KTO BĘDZIE BOGIEM?

W trzecim rozdziale Księgi Rodzaju o Bożym stworzeniu zapoznajemy się z nadprzyrodzoną istotą zła w postaci węża. Historia ta jest prosta i uniwersalna, lecz mylilibyśmy się myśląc, że nie jest głęboka. Zaczyna się w następujący sposób:

> „A wąż był bardziej przebiegły niż wszystkie zwierzęta lądowe, które Pan Bóg stworzył. On to rzekł do niewiasty:

„czy rzeczywiście Bóg powiedział: Nie jedzcie owoców ze wszystkich drzew tego ogrodu?" (Księga Rodzaju 3:1) (Widzisz, można z tego wywnioskować? Sugeruje on, że Bóg jest niedobry i ludzie Go nie obchodzą.) Niewiasta odpowiedziała wężowi: „Owoce z drzew tego ogrodu jeść możemy, tylko o owocach z drzewa, które jest w środku ogrodu, Bóg powiedział: Nie wolno wam jeść z niego, a nawet go dotykać, abyście nie pomarli" (Księga Rodzaju 3:2,3). (Możesz prawie usłyszeć słowa węża: „Musi ona być typową pustą blondynką!") „Na pewno nie umrzecie! Ale wie Bóg, że gdy spożyjecie owoc z tego drzewa, otworzą wam się oczy i tak jak Bóg będziecie znali dobro i zło" (Księga Rodzaju 3:4,5).

Zauważ efekt tej sytuacji. Kobieta kuszona w trzech ważnych punktach, zaczyna:

1. Wątpić w Słowo Boże;
2. Wątpić w Sąd Boży;
3. Wątpić w dobroć Boga.

1. *Wątpić w Słowo Boże*. Kobieta jest kuszona, aby nie wierzyła w to, co Bóg wyraźnie nakazał. Wąż sugeruje, że nie tylko nie umrze, lecz w rzeczywistości stanie się jak sam Bóg. Będzie ona całkowicie niezależna od Boga. Będzie w stanie sama zadecydować, co jest dobre i złe. Sama teraz ustanawiając prawo, nigdy go nie złamie. Bardzo atrakcyjny pomysł. Wszystkim nam się to bardzo podoba. My, tak jak ta kobieta, wierzyliśmy w to i mianowaliśmy się swoimi własnymi nadzorcami, nie pod władzą Boga, lecz przeciwko Bogu. Bóg stał się „rywalem", a nie przyjacielem.

2. *Wątpić w Sąd Boży.* Kobieta kuszona przez węża, który przekonuje ją, że konsekwencje tego uczynku nie postawią jej przed sądem. „Nie umrzesz — mówi wąż — Nie martw się. Nic się nie stanie. Żyj dniem dzisiejszym. Jutro niech samo troszczy się o siebie. Sama *„Będziesz swoim Bogiem."*

Myśl, że nasze czyny mogą być odseparowane od ich rezultatów jest bardzo atrakcyjna. Posiadaczowi bolącej głowy i ciężkiego brzucha po nocnej zabawie bardzo by się to spodobało. Wolelibyśmy robić to, co nam się podoba i wybierać też skutki naszych uczynków, lecz jest to niemożliwe.

3. *Wątpić w dobroć Boga.* Ewa wątpi w to, że Bóg chce dla niej jak najlepiej. Wąż tak naprawdę mówi: „Bóg nie chce twojego dobra. Bóg ma o wiele lepsze rzeczy i nie ma zamiaru pozwolić na to, abyś ty też je miała. Jeśli chcesz to, co w życiu najlepsze, bierz to i uciekaj. Bóg jest mistrzem w ograniczaniu nam przyjemności. Jest całkowicie zainteresowany samym sobą. Nie chce, aby nikt inny był Bogiem, ale ty możesz Go przechytrzyć. Możesz sama odebrać mu tron w Jego własnej grze."

Wydaje się to być całkowicie rozsądnym obrazem naszej reakcji w stosunku do Boga. Rządzimy w Jego świecie i sprzeciwiamy się wszystkiemu, co On mówi. Czujemy się zdolni do zmienienia przepisów i co więcej, nawet na moment nie zastanawiamy się nad konsekwencjami.

Niektórzy ludzie dokonują oszustw podatkowych. Inni mają romanse z cudzymi mężami i żonami. Wielu posiadaczy swojego interesu wierzy, że nie mogą być oni uczciwi i *jednocześnie* osiągać sukcesy. Mówimy:

—To jest moje życie i będę je prowadził tak, jak mi się podoba.

Wydaje nam się, że dojrzewając, jesteśmy w stanie

zdecydowanie rozprawić się z tym, co Bóg powiedział. On jest taki staromodny. Jest to uniwersalna historia. Zauważ, jak się ciągnie:

> „Wtedy niewiasta spostrzegła, że drzewo to ma owoce dobre do jedzenia, że jest ono rozkoszą dla oczu i że owoce tego drzewa nadają się do zdobycia wiedzy. Zerwała zatem z niego owoc, skosztowała i dała swojemu mężowi, który był z nią, a on zjadł." (Księga Rodzaju 3:6)

Jak bardzo ten owoc był atrakcyjny! Dobry do jedzenia i przyjemnie było popatrzeć na jego piękno. W streszczeniu wąż nadaje życiu nowe określenie w świetle dobrej żywności, zaostrzenia wiedzy i sztuki. Wąż ofiarowuje kobiecie całkowicie wolne życie, zaspokajanie własnych żądz, które w jego przekonywującym wywodzie przyniosą jej osobistą dojrzałość. Co więcej, owoc ten był „pociągający do zdobycia wiedzy".

—Będziesz taka jak Bóg — powiedział wąż i przez cały czas słowa te 'chodziły' jej po głowie: „Będę Bogiem. Będę Bogiem. Będę najważniejszą osobą na świecie. Osobą numer jeden."

Zdziwiłbym się, gdybym usłyszał, że Ty nie masz takiego samego problemu. Uważam, że jestem dosyć mądrym człowiekiem. Nie mogę jakoś dojść do tego, dlaczego inni też tego nie widzą!

## SAMOTNIE JEST BYĆ BOGIEM

Problemem stawiania samych siebie na miejscu Boga jest to, że każdy jest dla nas wrogiem, również my sami. Jeśli ja udaję, że jestem Bogiem i Ty tak samo, co się stanie, jak się spotkamy? Które z nas będzie Bogiem? Widzimy to świetnie podczas zabaw dzieci. Większość z nich ma subtelność rozbitego pociągu, który pędził dziewięćdziesiąt kilometrów na godzinę. Więc, jeżeli jednemu z nich, który jest szczęśliwym posiadaczem np. kija do krykieta, nikt się nie podporządkuje, to pójdzie do domu, a kij zabierze ze sobą Jednak tak naprawdę on chce grać w krykieta, lecz do tego potrzeba więcej osób. Chce postawić na swoim, a jeśli jest to niemożliwe, po prostu nie będzie grał. Samotnie jest być Bogiem, gdy inni chcą tego samego.

Słyszałem niedawno o młodym mężczyźnie, który grał w kościelnej drużynie w rugby union. Potrzebnych było piętnastu zawodników i on właśnie był tym ostatnim, bez niego nie mogła odbyć się gra.

—Oczywiście, że będę grać — powiedział — pod warunkiem, że zagram końcówkę. Nie będę grał, jeżeli nie zagram końcówki. Taka sama zasada. Jeśli nie pozwolisz mi być Bogiem, pójdę do domu. Niestety, nie doprowadza to do dobrych układów z innymi.

Jako dorośli, uczymy się osiągać to, co chcemy, w bardziej subtelny sposób niż rzucając się w histerii na „podłogę". Robimy to przez manipulowanie tymi, którzy są wokół nas. W starożytnym świecie najgorszą rzeczą, jaka mogłaby Ci się przytrafić, byłoby, że Twój brat zostałby cesarzem. Systematycznie eliminowałby wszystkich rywali, ponieważ nigdy nie byłby pewien, który z jego braci zechciałby go zdetronizować. Zazwyczaj mordował całą swoją rodzinę, aby być bezpiecznym. Jest bardzo samotnie być na samej górze.

W Księdze Rodzaju historia toczy się dalej:

> „A wtedy otworzyły się im obojgu oczy i poznali, że są nadzy; spletli więc gałązki figowe i zrobili sobie przepaski. (Księga Rodzaju 3:7)

Jestem pewien, że było to wspaniałe rozwiązanie. Porównaj to z wcześniejszym urywkiem:

„Chociaż mężczyzna i jego żona byli nadzy, nie odczuwali wobec siebie wstydu". Teraz nie usłuchawszy Boga, związek ich jest zagrożony. Po raz pierwszy boją się siebie. Zorientowali się, że są podatni na zranienie. Próbują ukrywać się przed sobą, tym samym ujawniając swoją bezradność. Jestem pewien, że autor chce, abyśmy się zdrowo uśmiali z liści figowych! Muszę powiedzieć, że kiedy oglądam obrazy i rzeźby z takimi listkami figowymi, widzę, że są zdecydowanie niewystarczające.

Zanim za bardzo się uśmiejesz, zadaj sobie pytanie, czy nie jest to właśnie obraz nas samych. Chcemy być w stanie dzielić się naszym życiem z innymi. Chcemy bliskiej przyjaźni i głębokiej miłości. Potrzebujemy kogoś, komu moglibyśmy powiedzieć o naszych sekretnych pragnieniach i najgłębszych obawach, w tym samym czasie obawiamy się to uczynić, bo może ten ktoś powie w szkole, że „śpimy z misiem". Boimy się, lecz opaski, jakie sobie robimy, nie są doprawdy wystarczające do uporania się z całą tą sytuacją. Historyjka ta może być prosta, ale nie jest naiwna, ani dziecinna.

Pierwszą konsekwencją nieposłuchania Boga jest to, że stajemy się zagrożeniem dla siebie nawzajem. Pragniemy i potrzebujemy siebie, pomimo to obawiamy się oddać sobie w autentycznym zaangażowaniu. Samotnie jest być Bogiem, gdy nie jesteś Bogiem.

## WROGOWIE BOGA

Drugim skutkiem odwrócenia się od Boga przez mężczyznę i kobietę jest to, że teraz boją się Boga i próbują od Niego uciec. Niestety, zbyt dobrze im to nie wychodzi.

„Gdy zaś mężczyzna i jego żona usłyszeli kroki Pana Boga przechadzającego się po ogrodzie, w porze kiedy był powiew wiatru, skryli się przed Panem Bogiem wśród drzew ogrodu. Pan Bóg zawołał na mężczyznę i zapytał go: 'Gdzie jesteś?'

On odpowiedział: 'Usłyszałem Twój głos w ogrodzie, przestraszyłem się, bo jestem nagi, i ukryłem się.

Rzekł Bóg: 'Któż ci powiedział, że jesteś nagi? Czy może zjadłeś z drzewa, z którego ci zakazałem jeść?'"(Księga Rodzaju 3:8–11)

Mamy tutaj obraz Boga poszukującego przyjaźni z ludźmi. Idzie do nich w porze, kiedy był 'powiew wiatru', aby odpocząć i cieszyć się ich towarzystwem. Wydaje mi się, że autor chce, abyśmy zauważyli, iż nie było to nowością, lecz czymś, co działo się każdego dnia. Lecz teraz stało się coś strasznego. Nie tylko stali się oni wrogo nastawieni do siebie nawzajem, lecz są także zagrożeni ze strony Boga. Ich przyjaźń stała się nieprzyjaźnią. Próbują chować się przed Bogiem, ale w rzeczywistości nie mogą tego zrobić, tak jak nie mogą ukryć się przed sobą.

My, tak jak oni, pragniemy żyć niezależnie od Boga, w tym samym czasie znajdując się w trudnych sytuacjach, prosimy Go o pomoc. Kryjemy się i nie chcemy, aby Bóg nas odnalazł, czy też pouczał nas jak mamy żyć. Mimo wszystko nie jesteśmy w stanie trzymać się tego przez cały czas w logiczny sposób.

## ŚLEPI NA NIEBEZPIECZEŃSTWO

Trzeci z kolei skutek ich buntu sprawił, że stali się zupełnie ślepi.

W każdym 'złamanym' związku jest tylko jeden sposób na naprawę. Osoba lub osoby winne muszą przyznać się do błędu i poprosić o wybaczenie.

Znając dobroć Boga okazaną mężczyźnie i jego żonie, czy mógłbyś spodziewać się tego, że po pytaniu: „Czy może zjadłeś z drzewa, z którego ci zakazałem jeść?", przyznaliby się do błędu, prosząc o wybaczenie i szukając pojednania. Niestety, byli ślepi, nie zauważyli, w jak dużym są niebezpieczeństwie. Wierząc, że są równi z Bogiem, przeciwstawiają się Mu, co więcej winią Jego za swój występek. Nie jest to sposób na pojednanie.

Mężczyzna rzekł: „Niewiasta, którą postawiłeś przy mnie, dała mi owoc z tego drzewa i zjadłem." (Księga Rodzaju 3:12)

Właściwie mówi on:

—Ja nie prosiłem o kobietę. Nie możesz domagać się ode mnie odpowiedzialności.

Jest to pierwsza wypowiedź powtarzającego się wątku — „czy jestem stróżem brata mego?" [Jest jeszcze nadzieja. Kobieta może się jeszcze przyznać, przeprosić i naprawić zerwaną przyjaźń.]

„Wtedy Pan Bóg rzekł do niewiasty: „Dlaczego to uczyniłaś?" Niewiasta odpowiedziała: „Wąż mnie zwiódł i zjadłam." (Księga Rodzaju 3:13). Nie przeocz znaczenia tej odpowiedzi. Mówi ona, iż Bóg jest winny.

—Nie mogę się oprzeć, gdy Ty pozwoliłeś wężowi być takim bystrym, że może każdego wziąć podstępem.

Chce ona być Bogiem, w tym samym czasie nie biorąc odpowiedzialności za swoje czyny. Mimo wszystko wiem dokładnie jak się czuła. Ja też znam tę 'ślepotę' i nielogiczność.

**JAKIE JEST WYJŚCIE?**

Od tego momentu skutki ich buntowniczych uczynków są jasne. Nieprzyjaźń zamieszkała pomiędzy złem i ludzkością (Księga Rodzaju 3:15). Związek małżeński się zawalił i potrzeba teraz pracy nad utrzymaniem go (Księga Rodzaju 3:16); praca staje się ciężka, bo środowisko nie jest przyjazne dla ludzi (Księga Rodzaju 3:17–19) i pod koniec ludzkość jest odseparowana od Boga i raju. Człowiek nie może sam wrócić z powrotem (Księga Rodzaju 3:22–24). Teraz może to tylko się stać, jeśli Bóg w jakiś sposób pomoże im w ich niedoli. Reszta Biblii zawiera cały opis, jak właśnie czyni to Bóg.

Zanim zostawimy historię Adama i Ewy, chcę zaznaczyć, że jest to historia buntu każdego z nas. W taki czy inny sposób zbuntowaliśmy się przed Bogiem. Mogło to być poprzez zwykłe ignorowanie Jego prób nawiązania rokowań przyjaźni. Mogło być to przy próbach wyzyskania Go w problemach, czy też stawiania się Mu jako równemu nam. Tak czy inaczej, staraliśmy się o niezależność od Boga przez bunt.

**KTO WYSTRZELIŁ NAJWIĘCEJ POCISKÓW?**

Kiedy nasz bunt w stosunku do Boga jest aktywny i otwarty, my o tym wiemy. Niestety, gdy nasz bunt jest w formie cichej obojętności, jeśli zechce nam się o tym pomyśleć, prawdopodobnie nie wydaje nam się to tak prawdziwe. Niektórzy ludzie zupełnie otwarcie powiedzieli mi:

—Nie zbuntowałem się przeciwko Bogu.

—Co robisz więc w stosunku do Niego? — zapytałem.

—Nic. Po prostu On mnie nie obchodzi.

Przypuśćmy, że obydwoje jesteśmy żołnierzami w okopach. Ty masz jednostrzałową strzelbę. Ja mam automatyczny karabin najnowszej produkcji. Nieprzyjaciel strzela w naszym kierunku, a my dajemy ognia z całych naszych sił. Nie ma wątpliwości, że ja wystrzelę więcej pocisków niż ty. Przypuśćmy, że zostajemy oboje złapani. Nikt nas nie zapyta:

—Kto wystrzelił najwięcej pocisków?

Oboje będziemy traktowani jako wrogowie, ponieważ nimi jesteśmy. Pytanie jest właściwie jedno: „po której stronie jesteśmy?". Niektórzy z nas zademonstrowali swój bunt za pomocą karabinu maszynowego. Inni robią to przy udziale jednostrzałowej strzelby, a jeszcze inni są na tyłach, gotując coś w menażce w czasie odpoczynku. Mimo to, Biblia mówi, że my wszyscy zbuntowaliśmy się.

### BOŻY PLAN POJEDNANIA

Tak naprawdę nie moglibyśmy winić Boga, gdyby zostawił nas, abyśmy gotowali się we własnym sosie, lecz nie jest to w Jego naturze i nie postępuje On w taki sposób. Bez względu na nasze odrzucenie Jego, Bóg nigdy nie przestał troszczyć się o swoje stworzenie. Przedsięwziął On środki, aby wpłynąć na nasze wybawienie.

Tematem Pisma Świętego jest plan Boga do zjednania sobie ludzkości, do pojednania człowieka z człowiekiem i przede wszystkim przeniesienia wszystkich Jego ludzi do nowego środowiska, które nie jest im wrogie. Bóg uczynił to przez wybór narodu, któremu zarówno ujawniłby się sam, jak też i ujawnił swój plan zbawienia Świata.

Przy końcu drugiego rozdziału Księgi Rodzaju pokazany jest nam obraz Bożych ludzi, żyjących w Bożym miejscu pod rządami Boga. Pod koniec trzeciego rozdziału Księgi Rodzaju, sytuacja się odwróciła. Ludzie zajęli miejsce nieprzyjaciół Boga.

Zostali oni wygnani z raju i mają oni buntownicze nastawienie do rządów Boga.

### JEDEN CZŁOWIEK — JEDEN NARÓD — JEDEN CZŁOWIEK

Rozwijający się plan Boga zapoczątkowany został w czasach starożytnych powołaniem przez Niego jednego człowieka — Abrahama. Miał on być Jego człowiekiem, żyjącym pod Jego rządami. Bóg obiecał uczynić go ojcem wielkiego narodu, dać mu ziemie do zamieszkania i to, że przez ten naród wszyscy ludzie na świecie będą błogosławieni (Księga Rodzaju 12:1–3). Tak jak przedtem, Bóg zacznie od nowa z Abrahamem i jego potomkami i podejmie z nimi umowę.

Pomimo, że Abraham nie dożył tego, aby zobaczyć wypełnienie tej obietnicy, przez cały czas potomkowie jego rozmnażali się, tworząc naród izraelski. Przez jakiś czas mieszkali w Kanaanie, po wyjściu z Egiptu, gdzie byli niewolnikami. Zostało to dokonane przez Boga i wybranych przez niego przywódców Mojżesza i Jozuego.[1] W Kanaanie mieli oni żyć jako naród izraelski, raz jeszcze jako wierni Bogu, pod rządami Boga, w miejscu Boga. Miał być to nowy „ogród Edenu". Niestety, Żydzi tylko trochę przypominali ten obraz. Przez większość czasu buntowali się przeciwko Bożym rządom i byli najeżdżani przez nieprzyjaciół. Wielokrotnie Bóg powoływał przywódców, którzy byli w stanie wyratować Żydów z ich sytuacji. Zbawiciele ci nie byli jednak w stanie przynieść stałego pokoju, gdyż ludzie kontynuowali swój bunt w stosunku do Boga.[2]

W międzyczasie dał im Bóg królów, którzy mieli prowadzić i rządzić nimi w taki sposób, że wszystkie sąsiednie narody miały poznać, co to znaczy żyć pod przewodnictwem Boga. Król miał reprezentować wolę Boga. Miał on im służyć i ratować ich od nieprzyjaciół. Przez ten czas Bóg systematycznie ukazywał im swój chararakter. Mojżesz, który przyniósł kamienne tablice, z wypisanym na nich prawem, oraz prorocy, których posłał Bóg, aby przywieść Żydów do posłuszeństwa na mocy ugody zawartej pomiędzy Nim i narodem żydowskim.[3] Pod rządami króla Dawida i za czasów jego syna Salomona, Żydzi prawdopodobnie najlepiej odzwierciedlali Boży naród niż w jakichkolwiek czasach. Niestety, było to tylko tymczasowe i po śmierci Salomona naród zastał podzielony przez wojnę i pod jarzmem tak potężnych narodów, jak Babilon, Asyria, Grecja, Rzym, Żydzi po raz kolejny stali się narodem niewolników.[4]

Historia Żydów przez ten długi czas jest historią straconych szans. Za każdym razem przez ich nieposłuszeństwo i brak wiary nie byli w stanie odwzajemnić się Bogu. Ziemia obiecana nie była „Ogrodem Edenu." Od czasów Abrahama nikt nie odwzajemnił się Bogu taką samą miłością, jaką Bóg dał człowiekowi.

Od czasu do czasu wydaje się, iż można mieć nadzieję, że będzie ktoś, kto usłucha i odwróci tę sytuację, lecz za każdym razem nadzieja zamiera. Jest jasne, że jeśli Bóg ma przynieść trwałą pomoc swoim ludziom, coś musi się wydarzyć.

Przez swoich proroków Bóg obiecał zesłać nowego przywódcę, który przyniósłby trwały pokój. Byłby on prawdziwym królem Bożego ludu, byłby on ich pasterzem. Te nadzieje na przyjście Mesjasza (pomazańca) rosły z czasem, gdy Bóg dawał więcej obietnic o królu, który ma nadejść.[5]

Ten nowy król przybył w końcu w osobie Jezusa. Plan Boga skupił się raz jeszcze na jednej osobie, Jego Synu Jezusie, który przyniósł pojednanie pomiędzy Bogiem Ojcem i Jego stworzeniem — ludzkością; pomiędzy ludźmi i ostatecznie pomiędzy ludźmi i resztą Bożego stworzenia.

W przeciwieństwie do innych, Jezus nie pozwolił wymknąć się swojej szansie. Był On posłuszny Bogu i swoim życiem zademonstrował możliwość bliskiego związku pomiędzy Bogiem i Jego ludem. Zatem jest On szczytem Bożego planu i naszym ratunkiem.[6]

[1]    Możesz przeczytać o tym w następujących księgach Biblii; Księga Rodzaju, Księga Wyjścia, Księga Powtórzonego Prawa, Księga Jozuego.

[2]    Możesz przeczytać o tym w Księdze Sędziów.

[3]    Możesz przeczytać o tym w Księdze Kapłańskiej, Księdze Izajasza, Księdze Amosa.

[4]    Możesz przeczytać o tym w Pierwszej i Drugiej Księdze Samuela i Jeremiasza.

[5]    Niektóre z tych obietnic można znaleźć w: Księdze Izajasza 9:6–7; 11:1–11; Księdze Jeremiasza 23:5,6; Księdze Ezechiela 34; Księdze Daniela 7:9–14.

[6]    Zobacz *Ewangelia i Królestwo;* Graeme Goldsworthy. Paternoster Press 1981

# ROZDZIAŁ CZWARTY

# *Co Bóg z tym zrobił?*

J**EZUS JEST OŚRODKIEM** Bożego planu ratunku dla ludzkości. Możemy to pojąć, jeśli zrozumiemy Jezusa, a aby pomóc sobie Go zrozumieć, musimy spojrzeć na następujace pytania:

1. Dlaczego Jezus się narodził?
2. Dlaczego Jezus umarł?
3. Dlaczego Jezus zmartwychwstał?
4. Co Jezus robi teraz?
5. Dlaczego Jezus wróci ponownie?

Odpowiadając na te pytania, zrozumiemy zamiary Boga w stosunku do nas, jak również znajdziemy odpowiedź, jak właściwie powinno wyglądać nasze życie.

## I. DLACZEGO JEZUS SIĘ NARODZIŁ?

Przypuszczam, że ze wszystkich opowiadań o Jezusie, najlepiej znane jest Jego narodzenie. Wszyscy słyszeliśmy o Marii i Józefie, którzy wracali do Betlejem, aby zapisać swoje imiona w spisie ludności, o tym jak Maria urodziła Jezusa w stajence, owinęła nowo narodzone dziecię w pieluszki i położyła je w żłobie, bo nie było dla nich miejsca w gospodzie. Słyszeliśmy o pasterzach i mędrcach, i większość z nas widziała szopkę organizowaną przez dzieci.

Łukasz zapisał historię wizyty anioła Gabriela — wysłannika Bożego — do Marii i opisał jej rolę w życiu dziecka, które miała urodzić w następujących słowach: „Będzie On wielki i będzie nazwany Synem Najwyższego, a Pan Bóg da Mu tron Jego praojca, Dawida. Będzie panował nad domem Jakuba na wieki, a Jego panowaniu nie będzie końca"(Ewangelia według Św. Łukasza 1:32–33).

Anioł powiedział Marii, że Jezus będzie królem, który przyniesie światu zbawienie. Narodziny to bardzo ważny moment. To, co Bóg obiecał tysiące lat temu, zostało wypełnione w przyjściu Jezusa. On i tylko On, jest władcą nad Bożego Świata. Nie przeocz tego. Jeżeli Jezus jest właśnie tym królem, co się ze mną stanie, gdy nadal będę odrzucał Jego rządy i będę się buntował przeciwko Niemu? Jest to poważna sprawa.

W wiadomości, jaką przesyłają aniołowie pasterzom w Betlejem, Ewangelia Św. Łukasza daje nam głębszy wgląd w to, dlaczego Jezus się narodził: „Oto zwiastuję wam radość wielką, która będzie udziałem całego narodu; dziś w mieście Dawida narodził się nam Zbawiciel, którym jest Mesjasz-Pan" (Ewangelia według Św. Łukasza 2:10,11). Mówi nam to trochę więcej o Jezusie. Nie tylko ma być On królem w Bożym świecie, lecz ma rozpocząć akcję ratowniczą. Dlatego też Jego przyjście jest dobrą nowiną wielkiej radości dla wszystkich ludzi.

Dla mężczyzn i kobiet, którzy odwrócili się od Boga i stali się Jego rywalami w jawnym buncie, jest drogą powrotną do przebaczenia, pokoju z Bogiem i życia takiego, jakie Bóg zaplanował. Jezus powiedział: „Ja przyszedłem po to, aby [owce] miały życie i miały je w obfitości" (Ewangelia według Św. Jana 10:10).

Jeszcze raz powiedział: „Przyjdźcie do Mnie wszyscy, którzy utrudzeni i obciążeni jesteście, a Ja was pokrzepię" (Ewangelia według Św. Mateusza 11:28). Jest to naprawdę dobra nowina. Jezus przyszedł, aby nas uratować od samych siebie. Dla osoby, która ma dość szargania życia sobie i innym, jest dobrą nowiną. Dla tych, którzy mówią „życie nie jest wystarczająco dobre", jest dobrą nowiną. *Możesz być uratowany od samego siebie.*

Pewnego wieczoru oglądałem w telewizji wspaniałą akcję ratowniczą. Włączyłem wieczorne wiadomości i dowiedziałem się, że małe dziecko wpadło w dziewięciocalową wyrwę w ziemi. Tragedia była wyraźnie związana z faktem, jaki miał miejsce pół roku wcześniej, jeden z chłopców w północnym rejonie Włoch zginął w podobnym wypadku. Widziałem zrozpaczonych rodziców dziecka. Grupa górników, którzy usłyszeli o tym przez radio, przybyła gotowa do pomocy. Wiedzieli dokładnie, co powinni robić, zrobili otwór tuż przy poprzednim i zaczęli kopać tunel. O 10:30 wieczorem widziałem ich przy pracy. Dziennikarz przez cały czas zapewniał nas, że w krótkim czasie dziecko zostanie uratowane. O 11:30 w nocy, po raz kolejny słyszeliśmy zapewnienie, że wkrótce chłopiec będzie uratowany. O 1:05 nad ranem zobaczyłem górnika wyciągniętego z tunelu z małym dzieckiem w ramionach. Była to bardzo wzruszająca scena. Chłopiec i jego wybawiciel, obydwaj byli uśmiechnięci od ucha do ucha. Rodzice ronili łzy ze szczęścia i jak mi się wydaje, z ogromnej ulgi.

To był wielki moment! Niebezpieczeństwo minęło. Dziecko

wróciło do rodziców. Jaką nadzieją i wielką radością są prawdziwie udane akcje ratownicze.

Jezus zrobił to dla nas.

Lecz jak On to zrobił? Zrobił to przez Swoją śmierć i powrót do życia. To też prowadzi nas do drugiego pytania.

## 2. DLACZEGO JEZUS UMARŁ?

### O czym Jezus myślał?

Nie ma wątpliwości, że Jezus wierzył iż Jego śmierć była kluczowym momentem Jego działalności. Bez niej Jego misja byłaby upadkiem. Raz przypomniał to Jezus swoim apostołom. Nie byli oni w stanie zrozumieć jej wartości, ani też nie chcieli o tym rozmawiać. Pomimo tego, Jezus nie przestawał o tym mówić. Święty Mateusz napisał o interesującej wymianie słów pomiędzy Jezusem i Piotrem:

> „Odtąd zaczął Jezus wskazywać swoim uczniom na to, że musi iść do Jerozolimy i wiele cierpieć od starszych i arcykapłanów, i uczonych w Piśmie; że będzie zabity i trzeciego dnia zmartwychwstanie. A Piotr wziął Go na bok i począł robić Mu wyrzuty: Panie, niech Cię Bóg broni! Nie przyjdzie to nigdy na Ciebie."

> Lecz On odwrócił się i rzekł do Piotra: „Zejdź Mi z oczu, szatanie! Jesteś mi zawadą, bo myślisz nie na sposób Boski, lecz na ludzki" (Ewangelia według Św. Mateusza 16:21–23).

Myśl ta, że Bóg zesłałby Swojego Syna, aby umarł, tak jak Jezus mówił, była tak odmienna od wyobrażenia, jakie Piotr miał o zbawicielu, iż nie był on w stanie pohamować się. Jezus jednak jasno pokazał, że sugerując inne rozwiązanie można stać się rzecznikiem Bożego wroga — Szatana.

Znaczenie śmierci Jezusa może być oszacowane w Jego następujących słowach:

„Dlatego miłuje mnie Ojciec, bo Ja życie moje oddaję, aby je [potem] znów odzyskać. Nikt Mi go nie zabiera, lecz Ja od siebie je oddaję. Mam moc je oddać i mam moc je znów odzyskać. Taki nakaz otrzymałem od mojego Ojca" (Ewangelia wg Św. Jana 10:17,18).

Kiedy Jezus ukazał się swoim apostołom, po Swojej śmierci i zmartwychwstaniu, wytłumaczył im, że Stary Testament przepowiedział, że gdy nadejdzie Mesjasz Boży, Jego śmierć będzie podstawą Jego działalności.

„Wtedy oświecił ich umysły, aby rozumieli Pisma, i rzekł do nich: „Tak jest napisane: Mesjasz będzie cierpiał i trzeciego dnia zmartwychwstanie; w imię Jego głoszone będzie nawrócenie i odpuszczenie grzechów narodom..." (Ewangelia wg Św. Łukasza 24:45–47a).

Dla niektórych ludzi przedwczesna śmierć może być tylko bardzo tragiczną stratą; zazwyczaj przychodzi ona w dostojnym starszym wieku. W przypadku Jezusa była ona podstawą Jego osiągnięć. Powodem tego jest to, że przez Jego śmierć jesteśmy w stanie być pojednani z Bogiem. W swojej śmierci Jezus widział sposób na przebaczenie naszych grzechów. Dużo wcześniej, podczas swojej misji, Jan Chrzciciel, przypomniał Mu to, mówiąc o Nim „Oto Baranek Boży, który gładzi grzechy świata" (Ewangelia według Św. Jana 1:29).

**Skąd wiedzieli ?**

Nie ma wątpliwości, że i Jan, i Jezus dowiedzieli się o misji Jezusa z proroctw zawartych w Starym Testamencie. Jezus sam nam o tym mówi (Ewangelia według Św. Łukasza 24:46). Nie jest możliwe, aby wiedzieć, które fragmenty Pisma Jezus wykorzystał, tym niemniej jedno z najbardziej wyraźnych proroctw znajduje się w Księdze Proroka Izajasza, w rozdziale pięćdziesiątym trzecim. Izajasz opisuje sługę Bożego, który jest uczciwy i wierny, lecz prorok jest wstrząśnięty, ponieważ ten prawy człowiek jest poniewierany, maltretowany i bity, aż nie do poznania To jest niesprawiedliwe! Co on takiego zrobił? Dlaczego jest tak „wzgardzony i odepchnięty przez ludzi, mąż boleści, oswojony z cierpieniem?" (Księga Izajasza 53:3) Rozważając to, prorok przez swoją wnikliwość zdaje sobie sprawę, że ofiara nie cierpi za samego siebie, lecz za innych. Oto, w jaki sposób to opisuje:

„Lecz On był przebity za nasze grzechy, zdruzgotany za nasze winy. Spadła Nań chłosta zbawienna dla nas, a w Jego ranach jest nasze zdrowie. Wszyscyśmy pobłądzili jak owce, każdy z nas się obrócił ku własnej drodze, a Pan zwalił na Niego winy nas wszystkich" (Księga Izajasza 53:5–6).

Prorok widzi cierpienia tego wiernego sługi Bożego, jako drogę przynoszącą przebaczenie dla Jego ludu. To zagadnienie o nadchodzącym słudze Bożym, który ma cierpieć za innych, nie było jasno zrozumiane, aż do przyjścia Jezusa, który to uczynił. On jest tym, który został obarczony karą za nasze grzechy.

Jezus wiedział, że przez Swoją śmierć otworzy drogę, dzięki której możemy otrzymać przebaczenie, wrócić do Boga i być Jego przyjaciółmi.

**Nastawienie Boga do naszego buntu**

Do tej pory opisałem, w jaki sposób nasz bunt i obojętność w stosunku do Boga wpłynęła na nas. Widzieliśmy to w naszej nieumiejętności wspólnego życia w zgodzie, w naszej nieprzyjaźni względem Boga lub też w życiu na świecie, który nie jest nam pomocny. Lecz teraz musimy zastanowić się nad efektem, jaki ma nasz bunt dla samego Boga. Biblia mówi nam, że Bóg jest osobą, która kocha to, co jest dobre i nienawidzi tego, co jest złe. Pomimo tego, że oferował mi Swoją przyjaźń, wzgardziłem nią. Bez względu na to, że jest On Bogiem, żyłem tak, jakby był moim rywalem. Mówię Bogu:

—Będę prowadził swoje życie tak, jak mi się podoba.

Niestety, prawdziwy problem zaczyna się, gdy właśnie próbuję to zrobić. Nie jestem w stanie kontrolować historii, nie mogę kontrolować społeczeństwa, ani też tak naprawdę własnego życia. W naszej niezależności od Boga zrujnowaliśmy nasze własne życie; zrujnowaliśmy życie sobie nawzajem i wszyscy dołożyliśmy się do zrujnowania świata, w którym żyjemy.

Nie wydaje nam się to takie ważne z powodu naszej ślepoty, wierzymy, iż jesteśmy prawowitymi panami Bożego świata. Niestety Biblia daje całkowicie odmienny obraz. Bóg nie jest tylko Panem i Stworzycielem swojego świata, lecz również moralnym sędzią. W przeciwieństwie do nas, którzy często nudzimy się starymi zajęciami i porzucamy je, Bóg nigdy nie znudził się swoim światem. On to troszczy się o mnie i o to, w jaki sposób prowadzę swoje życie — On mnie kocha. On troszczy się o Ciebie i o to, w jaki sposób ja Ciebie traktuję — On Ciebie kocha. Troszczy się o świat i o to, w jaki sposób się z nim obchodzimy. To, że niesprawiedliwość, cierpienie, tragedie spadają na miliony ludzi, nie jest kwestią Jego obojętności. On nie jest obojętny na to, w jaki sposób zrujnowaliśmy świat poprzez nasz bunt. Pismo Święte nazywa nasz bunt i obojętność grzechem. Prawdziwym szaleństwem z naszej strony niewiara, że Boga nie obchodzi to, co się z nami dzieje. Nienawidzi grzechu, ponieważ ma on taki dewastujący efekt. Nienawidzi grzechu, ponieważ jest to sprzeczne z Jego charakterem. „Bóg jest Światłością, a nie ma w Nim żadnej ciemności" — oto jak Jan Go opisuje: (Pierwszy List Św. Jana Apostoła 1:5). „Zbyt czyste oczy twoje, aby na zło patrzyły, a nie-prawości pochwalać nie możesz". Oto jak Habakuk opisuje Boga (Księga Habakuka 1:13).

### Bóg działa logicznie

Nasz bunt wpływa na nasze życie. Lecz nie jest obojętny Bogu. Jest zawarty w tym jawny dylemat. Z jednej strony Bóg objawia Swoją miłość do ludzi, z drugiej strony nie może i nie toleruje grzechu. Idealnym rozwiązaniem jest śmierć Jezusa. Gdyby Bóg powiedział:

—Zapomnijmy o Twoim buncie, nie ma co.

Konsekwencje byłyby zbyt wstrząsające do rozważenia. Od tej chwili nic nie byłoby złe. Nie byłoby żadnej różnicy pomiędzy uczynkiem z miłości i tym, co zrobiło dwoje nieletnich, którzy niedawno na przystanku autobusowym skopali na śmierć starszego człowieka.

Od czasu do czasu wydaje nam się, że Bóg powinien przeoczyć nasze grzechy. Lecz kiedy zastanowimy się nad ogromnymi konsekwencjami, krzykniemy:

—To, co złe jest złe. Czarne nie jest białe. Nie zmieniaj zasad!

Lecz po pewnym czasie szeptamy:

—Zmień je tylko dla mnie. Na to przychodzi odpowiedź:

—Nie martw się. To jest bezpieczny świat. Nie zmienię zasad

*nigdzie* dla *nikogo*, bez względu na *jakikolwiek powód*. Możesz być pewien, że będę działał logicznie, zgodnie z moim charakterem. Kocham dobro i nienawidzę grzechu. Przez to znasz swoją pozycję.

Sprawiedliwość Boga nie sprzeciwia się Jego miłości, ani też Jego miłość nie jest lekko sentymentalna, doprowadzająca Go do przymknięcia oczu na grzech. Jego miłość i Jego Sprawiedliwość spotykają się w śmierci Jezusa.

„Tak bowiem Bóg umiłował Świat, że Syna swego, Jednorodzonego dał, aby każdy, kto w Niego wierzy, nie zginął, ale miał życie wieczne" (Ewangelia według Św. Jana 3:16).

„Jest to bowiem rzecz dobra i miła w oczach Zbawiciela naszego, Boga, który pragnie, by wszyscy ludzie zostali zbawieni i doszli do poznania prawdy. Albowiem jeden jest Bóg, jeden też pośrednik między Bogiem a ludźmi, człowiek, Jezus Chrystus, który wydał siebie samego na okup za wszystkich". (Pierwszy List do Tymoteusza 2:3–6).

Pomiędzy grzesznymi ludźmi i Świętym Bogiem stoi Jezus, który przez Swoją śmierć otworzył drogę do przyjaźni pomiędzy nami.

### Jak się to dokona?

Musimy bliżej przyjrzeć się temu, co miało miejsce w śmierci Jezusa. Piotr, który wcześniej mocno się sprzeciwiał, słysząc o śmierci Jezusa, ujrzał całe jej znaczenie. Oto, jak to opisuje: „On sam, w swoim ciele poniósł nasze grzechy na drzewo" (Pierwszy List Św. Piotra Apostoła 2:24). Kara, na którą ja zasłużyłem, została poniesiona przez Jezusa. On to prowadził doskonałe życie i był do tego zdolny. Nie miał własnych grzechów i nie zasługiwał na żadną karę.

Dlatego też, tylko i wyłącznie rozumiejąc to, jestem w stanie ujrzeć sens w treści wydarzeń opisanych przez autorów Ewangelii w dniu śmierci Jezusa. Oto jak Marek opisuje to w swojej Ewangelii:

> „A gdy nadeszła godzina szósta (dwunasta w południe), mrok ogarną całą ziemię, aż do godziny dziewiątej (trzecia po południu). O godzinie dziewiątej Jezus zawołał donośnym głosem... Boże mój, Boże mój, czemuś Mnie opuścił... Lecz Jezus zawołał donośnym głosem i oddał ducha. A zasłona przybytku rozdarła się na dwoje, z góry na dól (Ewangelia według Św. Marka 15: 33–34, 37–38).

W symboliczny sposób ciemność tego wydarzenia jest ukazana przez zaciemnione słońce. Ojciec, który zawsze kochał Swojego jedynego syna, odwrócił się od Jezusa, jako że On, który nigdy nie grzeszył, stał się grzechem za nas. Cały ciężar prawowitej złości Boga na grzech spadła na Jezusa, a On przeszedł piekło za nas, abyśmy byli z Nim w niebie. Jezus wiedział, co to znaczy być opuszczonym przez Boga, być całkowicie odseparowanym od Boga i jest to coś, czego ty i ja nigdy nie mieliśmy możliwości poznać. Jakkolwiek, śmierć ta nie była bezsensowna.

### Zasłona przybytku rozdarła się na dwoje

Przyda się tutaj trochę informacji na ten temat. Żydzi mieli dokładnie opracowany system nabożeństwa, który był odprawiany w Świątyni w Jeruzalem. Niektóre części Świątyni były otwarte dla wszystkich, podczas gdy inne tylko dla mężczyzn.

W samym środku Świątyni znajdowało się miejsce noszące nazwę Miejsca Najświętszego i tylko jedna osoba była upoważnion, aby tam przebywać.

Był to Arcykapłan i mógł on wejść tam tylko raz w roku. Najświętsze Miejsce było symbolem obecności Boga. To, że tylko Arcykapłan mógł znaleźć się w obecności Boga i to tylko raz w roku, w czasie specjalnej ceremonii, było informacją dla Izraelitów, że:

„Grzeszny człowiek nie może tak łatwo zbliżyć się do Boga".

Zasłona przybytku oddzielała Miejsce Najświętsze od reszty Świątyni. Czy widzisz znaczenie słów w Ewangelii Św. Marka 15:38? Kiedy Jezus umarł za nasze grzechy, otworzył drogę do Boga, gdzie Bóg jest obecny dla każdego człowieka. Zasłona przybytku rozdarła się na dwoje.

**Miłość i Sprawiedliwość w idealnej zgodzie.**

Wyobraź sobie, że jestem przed sądem. Przekroczyłem prawo. Tak naprawdę zostałem przyłapany na gorącym uczynku. Podczas mojej rozprawy, z radością zorientowałem się, że sędzią jest mój wujek, w rzeczywistości mój ulubiony wujek. Co więcej, ja jestem jego ulubieńcem. Sprawa się toczy, lecz ja się nie martwię, gdyż wydaje mi się, iż mój wujek upora się z problemem w najlepszy sposób. Ponoszę winę i ku mojemu zdziwieniu jestem skazany na najcięższą karę. On kocha sprawiedliwość i będzie trzymał się prawa! Lecz co z przyjaźnią, pokrewieństwem i miłością? Czy one nic nie znaczą? Podczas gdy mnie odprowadzają, kleryk sądowy wręcza mi kopertę. Odgadłeś. W kopercie jest czek na zapłacenie kary. Jest on od mojego wujka. W tym samym uczynku utrzymuje on prawo i musi mnie ukarać. Bierze również na siebie karę za mnie, w ten sposób demonstrując swoją miłość i troskę o mnie.

Skazując Jezusa na śmierć, Bóg postąpił w podobny sposób. Potępił nas za nasz bunt, ale pozwolił Jezusowi wziąć na siebie naszą karę w zastępstwie po to, abyśmy byli wolni. Jego miłość i sprawiedliwość są w idealnej zgodzie.

Pisarze Biblii widzą, iż śmierć Jezusa jest dowodem Bożej miłości do nas. Jeśli zapytasz:

„Jak bardzo Bóg nas kocha?", Paweł Apostoł odpowie: „A [nawet] za człowieka sprawiedliwego podejmuje się ktoś umrzeć tylko z największą trudnością. Chociaż może jeszcze za człowieka życzliwego odważyłby się ktoś ponieść śmierć. Bóg zaś okazuje nam swoją miłość [właśnie] przez to, że Chrystus umarł za nas, gdyśmy byli jeszcze grzesznikami" (List do Rzymian 5:7–8).

### Miłował swoich nieprzyjaciół

Bóg i Pan Jezus Chrystus zgadzali się w tej sprawie. Obydwaj kochali nas tak samo. Błędem byłoby pokazanie srogiego, twardego Boga, który jest łagodzony przez kochającego Syna. Pismo Święte ukazuje, że Ojciec i Syn całkowicie się zgadzali co do planu odzyskania naszej więzi z Bogiem. Oto jak jest to opisane:

„Wszystko zaś to pochodzi od Boga, który pojednał nas z sobą przez Chrystusa" (Drugi List do Koryntian 5:18).

### Można to opisać na wiele sposobów

Śmierć Jezusa i jej efekt są dla nas tak ważne, że pisarze biblijni opisują to w różnoraki sposób, aby pomóc nam ujrzeć jej prawdziwe znaczenie. W swoim liście do Rzymian, Apostoł Paweł posługuje się trzema określeniami, aby pomóc nam ją zrozumieć.

„... wszyscy bowiem zgrzeszyli i pozbawieni są chwały Bożej, a dostępują *usprawiedliwienia* darmo, z Jego łaski, przez *odkupienie*, które jest w Chrystusie Jezusie. Jego to ustanowił Bóg *narzędziem przebłagania* przez wiarę mocą Jego krwi..." (List do Rzymian 3:23–25a).

Paweł przypomina nam, że wszyscy zgrzeszyliśmy. Nie tylko zgrzeszyliśmy przez słowa i czyny, lecz buntownicze nastawienie w stosunku do Boga. Tym buntowniczym duchem trzeba się zająć. Gdybyśmy wszyscy mieli listę naszych złych uczynków i porównalibyśmy nasze listy, zobaczylibyśmy, że wykazy niektórych ludzi są zdecydowanie dłuższe niż innych. Niektóre uwzględniałyby czyny, których nie popełnili inni, lecz bez względu na to, w jakim stanie są te listy, wiemy, że ich właściciele są tak samo buntowniczo nastawieni w swoich sercach do Boga. My tylko okazujemy to na różne sposoby.

Przypominając nam o naszym dylemacie, Paweł używa trzech określeń do opisania, w jaki sposób śmierć Jezusa rozwiązuje ten problem:

*(a) usprawiedliwienie*

*(b) odkupienie*

*(c) narzędzie przebłagania*

(a) Sąd prawniczy

*Usprawiedliwienie darmo z Jego łaską*. Usprawiedliwienie jest legalnym terminem i znaczy „być uznanym za niewinnego". W tym kontekście oznacza to, że możemy być traktowani, jak gdybyśmy nigdy nie zgrzeszyli.

Wyobrażam sobie siebie siedzącego na ławie oskarżonych w dniu sądu ostatecznego. Stoję przed moralnym sędzią całego świata.

Wiem, że jest On Panem Bogiem Wszechmogącym. Kocha sprawiedliwość i nienawidzi grzechu. Wiem, że ja jestem grzeszną osobą. Zaczynam rozważać wszystkie dowody i całe świadectwo, które mogło się nagromadzić przeciwko mnie. Jawne czyny buntownicze popełnione przeciwko żyjącemu Bogu. Bardzo dobrze pamiętam wszystkie moje grzechy. Luki w moralności, czystości, szczerości, prawdomówności, chwile, kiedy miałem okazję zrobienia czegoś dobrego i które zaprzepaściłem. Pamiętam chwile, kiedy potępiałem zachowanie u innych, natomiast tolerowałem u siebie. Wszystko to są dowody, iż byłem buntowniczo nastawiony w stosunku do Boga. Kto wie, o czym ja jeszcze zapomniałem. Wiem, że jestem winny. Nie kochałem Boga z całego serca, z całych myśli, całej duszy i sił, nie wspominając już miłowania bliźniego jak siebie samego. Problem z winą jest taki, że nie można jej unieważnić. Stało się! Moja sytuacja jest beznadziejna!

Wstęp do mojej rozprawy jest przeoczony. Ku mojemu zdziwieniu i jeśli mogę powiedzieć, ku mojej radości, sędzia zamyka sprawę.

—Ten człowiek jest uniewinniony. Ma być traktowany jakby był niewinny. W głowie się nie mieści. Pomimo tego, że jest to dokładnie to, o czym mówi Paweł, „... dostępujemy usprawiedliwienia darmo, z Jego łaski... przez wiarę, mocą Jego krwi [śmierci]." Otrzymuję status człowieka usprawiedliwionego, ponieważ Jezus umarł za mnie. Będę traktowany przez Boga, jak gdybym nigdy nie grzeszył. To samo jest powiedziane przez Jana Apostoła, który mówi: „... Jeśli nawet ktoś zgrzeszył, mamy Rzecznika wobec Ojca — Jezusa Chrystusa sprawiedliwego. On bowiem jest ofiarą przebłagalną za nasze grzechy i nie tylko za nasze, lecz również za grzechy całego świata" (Pierwszy List Św. Jana Apostoła 2:1–2).

(b) Niewolnictwo

*„Odkupienie, które jest w Chrystusie Jezusie".* Odkupienie to termin użyty do wykupienia kogoś z niewoli.

Wyobraź sobie, że żyjesz w starożytnym świecie. Masz wielki dług. Nie ma wyjścia. Straciłeś wszystko. Została tylko jedna rzecz do zrobienia. Sprzedajesz siebie i swoją rodzinę do niewoli. Ale masz przyjaciela. On też jest ubogi, lecz pracuje dzień i noc, rok za rokiem. Poświęca się i zaciska pasa. Odmawia wszystkiego sobie i swoim dzieciom i pewnego szczęśliwego dnia wykupuje Ciebie i całą Twoją rodzinę od Twojego właściciela i uwalnia Cię.

Paweł używa tego terminu, aby pokazać, że przez śmierć Jezusa możemy być uwolnieni z niewoli grzechu i możemy być wolni. Nie tylko mogę być usprawiedliwiony, lecz również odkupiony.

(c) Ofiara

*Narzędzie przebłagania".* Trzecia ilustracja, jaką Paweł używa w tym tekście do opisania efektu śmierci Jezusa, wynika z tradycji składania ofiar w obrzędach religijnych. Nie możemy być pewni czy Paweł mówi o żydowskim systemie, czy też o pogańskich rytuałach. Prawdopodobnie to pierwsze.

Sprawa jest jasna. W imieniu grzesznika, w symbolicznym czynie ofiarowane zostało zwierzę. Symbolizm był dwuznaczny. Mówił on: „ja zasługuję na to, co przechodzi to zwierzę" i „przelewam moje winy na to zwierzę." Takie ofiary służyły, aby odwrócić sprawiedliwy gniew Boży. Paweł mówi, że z powodu śmierci Jezusa, sprawiedliwy gniew Boży na nas za nasz bunt może być odwrócony. „Jego to ustanowił Bóg narzędziem przebłagania przez wiarę mocą Jego krwi [śmierci]" (List do Rzymian 3:25)

Nie jesteśmy przyzwyczajeni do tego, aby ludzie ofiarowywali się za innych. Czasami używamy terminu 'najwyższej ofiary', mówiąc o ludziach, którzy zginęli w czasie wojny za innych. W noweli Dickensa „Opowieść o Dwóch Miastach" Sydney Carton zamienił się ze swoim przyjacielem, który był w więzieniu. Odwiedził go pewnej nocy przed egzekucją. Ponieważ wyglądali bardzo podobnie, Darnay miał możliwość ucieczki w ubraniach Cartona. Carton został stracony następnego dnia zamiast swojego przyjaciela — wielka ofiara.

Czyn pełen bohaterstwa miał miejsce w Waszyngtonie D.C. czternastego stycznia 1982. Samolot 737 rozbił się o most 14th Street, a następnie zatonął w lodowatej rzece Potomac. Z siedemdziesięciu dziewięciu pasażerów tylko pięciu zostało uratowanych z katastrofy. Ludzi wyciągano z wody liną przyczepioną do helikoptera. Wszyscy ocaleni opowiedzieli tę samą historię. W wodzie każdemu z nich została wręczona lina przez mężczyznę, który dostał ją pierwszy, jednak, kiedy helikopter powrócił po niego, ten zniknął. Utonął, pomagając innym.

Jezus ofiarował siebie za nas, zabierając całą karę, na którą zasługiwały nasze grzechy.

## TO JEST NAPRAWDĘ WAŻNE

Nie możemy dopuścić do tego, aby wpływ śmierci Jezusa nam się wymknął. Im więcej się nad nią zastanawiam, tym większe wydaje się mieć znaczenie. Nigdy nie czułem się bardziej grzesznym człowiekiem. Jednak ujrzałem, jak wielki jest mój bunt przeciwko Bogu, jeśli musiał On tyle zrobić, aby to usunąć. Jeżeli pozwolił Swojemu Jedynemu Synowi umrzeć za mnie, to musi być to znaczące. Ci z Was, którzy są rodzicami, będą wiedzieli, jak wielkie ma to znaczenie po zadaniu prostego pytania: „Jakie wydarzenie czy okoliczności wyobrażasz sobie na tyle istotne, abyś pozwolił swojemu dziecku oddać za nie życie?" Jest to wstrząsające. Przyjmij to więc jako fakt, iż Bóg pokłada przebaczenie naszych grzechów w bardzo wysokiej kategorii. Oznacza to dla Niego tyle, że pozwolił Swojemu Jedynemu Synowi umrzeć za nas.

## PARADOKS

Śmierć Jezusa jest swoistym paradoksem. Oznajmia dwie rzeczy, które wydają się sobie przeciwstawiać. Z jednej strony mówi: „jesteś znaczący w oczach Boga," z drugiej mówi: „twój życiorys jest bardzo zły." Jednak te dwie rzeczy są prawdziwe.

Przemyślenia o śmierci Jezusa pomogły mi zrozumieć te dwie prawdy. Po pierwsze jestem wysoko cenioną osobą w oczach Boga. Nie jestem nikim. Bóg chce, abym stał się Jego przyjacielem — co za wielki przywilej — a On pragnie tego, wiedząc dokładnie, jaki jestem. Nie zmienia swoich zamiarów, patrząc na mój bunt.

Jest to nawet bardziej zadziwiające. Wysłał swojego Syna na śmierć, abym ja był pojednany z Nim. Jest to wielka ofiara Jego miłości.

> „W tym przejawia się miłość, że nie my umiłowaliśmy Boga, ale że On sam nas umiłował i posłał Syna swojego jako ofiarę przebłagalną za nasze grzechy" (Pierwszy List Św. Jana Apostoła 4:10).

Możesz wierzyć, że jesteś ważną osobą, lub możesz czuć się mało ważny i niezauważalny. Wiedz o tym, że masz znaczenie w oczach Boga. Świadczy o tym śmierć Jezusa.

Śmierć Jezusa nie tylko przedstawia, jak bardzo Bóg mnie kocha, lecz również ukazuje jak okropny jest mój życiorys. Jeśli byłby inny sposób, w jaki moglibyśmy otrzymać przebaczenie i być zaakceptowanymi przez Boga, to byłby on na pewno odnaleziony.

Pisarze Ewangelii mówią nam o głębokiej agonii ducha, przez którą przeszedł Jezus, zbliżając się do Swojej śmierci za grzechy. W ogrodzie Getsemani, wieczorem przed Swoją śmiercią, raz po razie modlił się: „Ojcze mój, Jeśli to możliwe, niech Mnie ominie ten kielich" (Ewangelia według Św. Mateusza 26:39). Wcześniej wytłumaczył swoim apostołom: „Smutna jest dusza moja aż do śmierci". Łukasz mówi nam, że podczas gdy się modlił: „... Jego pot był jak gęste krople krwi, sączące się na ziemię" (Ewangelia według Św. Łukasza 22:44).

Możemy być pewni, że Ojciec spełniłby życzenie Jezusa, gdyby było to możliwe. Lecz nie było to możliwe.

*Nie było żadnej innej na tyle dobrej drogi*
*Aby zapłacić cenę za grzechy*
*On tylko mógł otworzyć bramę*
*Nieba i wpuścić nas.*

Musiałem się nauczyć, jak poważny jest mój bunt i przestać sobie to lekceważyć. Jest jasne, że Bóg nie porzuci tego, jak by nie miało to konsekwencji.

### Co ty byś powiedział?

Myślałem o samolocie, który rozbił się wpadając do rzeki Potomac w Waszyngtonie. Zginęło siedemdziesięciu czterech ludzi. Kiedy podróżuję samolotem, nigdy nie myślę, że mogę zginąć. Niektórym ludziom chodzi to po głowie, lecz czy tamci ludzie myśleli o tym, czy też nie, pod koniec tamtego dnia znaleźli się w obecności Boga. Przypuśćmy, że byłeś jednym z nich i Bóg zwrócił się do Ciebie:

—Co robisz tutaj, mając nieprzebaczone grzechy?

Co Ty byś powiedział?

—Żyłem dobrze — lub też;

—Nigdy się nad tym nie zastanawiałem — albo;

—Nie myślałem, że będzie to miało takie znaczenie? Na pewno odpowiedź zabrzmiałaby:

—Powinieneś był wiedzieć lepiej. Dlaczego więc pozwoliłbym umrzeć mojemu jedynemu Synowi?

### 3. DLACZEGO JEZUS ZMARTWYCHWSTAŁ?

Już wcześniej dowiedzieliśmy się, iż Jezus wierzył, że przez Jego śmierć nasze grzechy mogą być przebaczone. W czasie Ostatniej Wieczerzy, kiedy Jezus mówił o Swojej śmierci, powiedział: „... moja krew... będzie wylana na odpuszczenie grzechów" (Ewangelia według Św. Mateusza 26:28) Jego ostatnie słowa, kiedy umierał na krzyżu były: „Wykonało się [osiągnięte]" (Ewangelia według Św. Jana 19:30), „Ojcze, w Twoje ręce powierzam ducha mojego" (Ewangelia według Św. Łukasza 23:46).

Jezus wierzył, że skończył zadanie, dla którego przyszedł. Jego śmierć dokonała tego. Dokonało się to, kiedy w chwili śmierci powierzył On Swojego ducha w ręce Boga.

Wierzy, iż dokonał tego, do czego się narodził. Oto pytania: „czy w istocie or w rzeczywistości osiągnął to, o czym mówił?", a jeżeli tak, „skąd możemy o tym wiedzieć?"

Przypuśćmy, że Ci powiem:

—Nie martw się o swoje grzechy. Ja za Ciebie umrę.

Tak mówiąc, wyciągam rewolwer i strzelam sobie w głowę, a

Ty stoisz otoczony całym bałaganem. Czy jesteś w lepszej sytuacji niż poprzednio? Czy coś to zmieniło? Jeśli nie, jaka jest szczególna różnica pomiędzy tym, co ja zasugerowałem i tym, co zrobił Jezus? Czy możemy wiedzieć na pewno, że jest jakaś różnica?

Od samego początku Bóg powiedział, że bunt ludzkości przeciwko Niemu będzie miał rezultat w śmierci. W historii ogrodu Eden Bóg zakazał spożywania owocu z drzewa poznania dobra i zła oraz nadał taką karę: „gdy z niego spożyjesz, niechybnie umrzesz" (Księga Rodzaju 2:17). Ten temat jest powtarzany w wielu miejscach w Biblii. „Albowiem zapłatą za grzech jest śmierć" (List do Rzymian 6:23). Tak więc nieuniknionym wynikiem buntu przeciwko Bogu jest śmierć.

### Kara — śmierć

Pismo Święte mówi o śmierci przynajmniej z trzech innych punktów widzenia.

(a) *Śmierć duchowa* jest terminem używanym do opisania stosunku pomiędzy buntowniczą ludzkością a Świętym Bogiem. Więc z punktu widzenia naszej przyjaźni z Bogiem, jesteśmy umarli, bez życia i potrzebujemy być przyniesieni z powrotem do życia. (List do Efezjan 2:1).

W swoim życiu spotkałem dwie osoby, które przez swoje czyny zostały całkowicie odcięte od swoich rodzin. Aby pokazać, jak poważny jest to problem, każda z rodzin umieściła w gazecie nekrolog, zapraszający przyjaciół do okazania żałoby po śmierci, w jednym przypadku, syna, a w drugim, córki. Od tej chwili będą traktować swoje dzieci, jak by były umarłe. Mniej więcej tak jest z nami do czasu naszego powrotu do Boga. Nie znaczy to, że Bóg się nas wyrzekł, lecz to, że podczas, kiedy żyjemy fizycznie, jesteśmy umarli w naszych umiejętnościach i pragnieniu przyjaźni z Bogiem. Dlatego też Jezus mówi, że: „... Jeśli się ktoś nie narodzi powtórnie, nie może ujrzeć królestwa Bożego" (Ewangelia według Św. Jana 3:3). Sami, bez pomocy, nie możemy się zmienić. Potrzeba, aby stał się cud.

(b) *Śmierć fizyczna*, jest najbardziej naturalna. Pismo Święte mówi, iż jest ona rezultatem naszego buntu przeciwko Bogu. Rozbicie dobrych związków przez śmierć, z towarzyszącym jej bólem i smutkiem, mówi nam o świecie, który jest wyraźnie zepsuty. Śmierć fizyczna jest symbolem prawdziwej śmierci — śmierci duchowej.

(c) *Śmierć wieczna* również pojawia się w Biblii. Najlepiej można ją opisać jako śmierć duchową, która przy naszym ciągłym buncie staje się niezmienną przy śmierci fizycznej. To prowadzi nas do piekła, do całkowitego odseparowania od Boga. Śmierć po śmierci ( Ewangelia według Św. Jana 3:16; Apokalipsa Św. Jana 20:14).

### Śmierć Jezusa zwycięża śmierć

Śmierć pod każdą postacią jest widziana jako rezultat grzechu. Jedno następuje po drugim, jak noc następuje po dniu. W takim razie, co to ma wspólnego z Jezusem powracającym po śmierci do życia? Tylko to — śmierć przychodzi jako zapłata za grzech. Jeśli Jezus uporał się z grzechem w Swojej śmierci, to czego możemy się spodziewać? Odwrotności śmierci — zmartwychwstania.

W rozdziale siódmym tej książki zajmujemy się dowodami na temat faktu powrotu Jezusa po śmierci, natomiast ja pragnę przedstawić różnicę pomiędzy zmartwychwstaniem, przywołaniem do życia i reinkarnacją.

Chrześcijanie wierzą, że Jezus naprawdę umarł, i że z powrotem powrócił do życia. Nie jako zjawa czy duch, lecz w swoim łatwym do rozpoznania ciele. To właśnie oznacza zmartwychwstanie. Gdybyś był tam, w Palestynie, w pierwszym wieku naszej ery, zobaczyłbyś umarłe ciało złożone w grobie. Trzy dni później zobaczyłbyś Jezusa żywego, a grób pusty. Niektórzy ludzie sugerują, iż nie był On naprawdę umarły i w chłodzie grobu powrócił do życia, tak jak w szpitalu, co wyglądałoby i wydawałoby się zmartwychwstaniem. Inni wierzą, że Jezus naprawdę umarł, ale Jego dusza znalazła miejsce w innym ciele — reinkarnacja. W tym przypadku znaczyłoby to, iż Jego stare ciało zgniło w grobie. Naoczni świadkowie odrzucają te dwie opinie. Oni widzieli Jezusa umarłego. Oni widzieli Go z powrotem przy życiu. Byli świadkami pustego grobu. Ujrzeli zmartwychwstanie Jezusa jako krytyczny przełom w ich zrozumieniu pracy Jezusa i w taki sposób opisali to w Ewangelii.

W rzeczywistości apostoł Paweł posunął się do tego, iż powiedział, że jeśli Jezus nie zmartwychwstał, to my możemy być pewni tego, że Jego śmierć za nasze grzechy nie zdała egzaminu, a my bylibyśmy najbardziej nędznymi ludźmi pogrążonymi w grzechach, na których nadal czekałaby kara (Pierwszy List do Koryntian 15:17). Nic ważnego nie stałoby się w chwili śmierci Jezusa, gdyby On nie zmartwychwstał. Lecz On powstał z martwych.

### Czy możemy być pewni?

Od chwili zmartwychwstania Jezusa możemy być pewni, że Jego śmierć była prawdziwą śmiercią, która wzięła na siebie grzechy całego świata. (Pierwszy List Św. Jana Apostoła 2:2). Dlatego też jest to powodem ciągłej radości chrześcijan. Wydarzenie to było tak ważne dla pierwszych chrześcijan, iż decydowali spotykać się pierwszego dnia każdego tygodnia na pamiątkę zmartwychwstania Jezusa, od dnia, kiedy powstał z grobu. Nie ma wątpliwości, że śmierć Jezusa spełniła dokładnie to, o czym On mówił. Wszystko to było zrobione dla nas, abyśmy powrócili, otrzymali przebaczenie i zaczęli nową przyjaźń z Bogiem.

Śmierć i zmartwychwstanie Jezusa są widziane w Piśmie Świętym jako jedno wydarzenie, a nie dwa. Biblia mówi nam, że możemy być usprawiedliwieni przed Bogiem przez *śmierć* Jezusa (List do Rzymian 3:24–25) i czasem przez Jego *zmartwychwstanie*. To właśnie opisuje Paweł: „On to został wydany za nasze grzechy i wskrzeszony z martwych dla naszego usprawiedliwienia" (List do Rzymian 4:25).

### Zmartwychwstanie Jezusa i nasze

Inny aspekt tego wydarzenia w życiu Jezusa jest opisany przez Pawła Apostoła. Mówi on nam, że zmartwychwstanie Jezusa było przygotowaniem zmartwychwstania wszystkich chrześcijan. Tak, jak Jezus powstał z martwych, tak pewnego dnia oni też powstaną w zmartwychwstałych ciałach. Możesz sam to przeczytać w pierwszym liście Pawła Apostoła do Koryntian (Pierwszy List do Koryntian 15). Nie ma wątpliwości, że on znał to ze słów samego Jezusa: „Nie dziwcie się temu! Nadchodzi bowiem godzina, w której wszyscy, którzy spoczywają w grobach, usłyszą głos Jego: a ci, którzy pełnili dobre czyny, pójdą na zmartwychwstanie życia; ci, którzy pełnili złe czyny — na zmartwychwstanie potępienia" (Ewangelia według Św. Jana 5:28,29).

### Pewność życia po śmierci

Od czasu powrotu Jezusa do życia, możemy być pewni, że naprawdę istnieje życie po śmierci. To powiedzenie „ciastko w niebie, kiedy umrzesz", może mieć więcej znaczenia niż myślimy.

Nie przedstawia to całego wizerunku chrześcijaństwa, ale jesteśmy przekonani, że życie to coś więcej niż teraz i tutaj. Istnieje inne miejsce, które zostało przygotowane dla nas w przyszłości.

Pewnego dnia w domu mojego przyjaciela, w małej grupie dyskusyjnej, rozmawialiśmy o prawdopodobieństwie życia po śmierci. Wyobraź sobie moje zdziwienie, kiedy ktoś powiedział:

—Nikt jeszcze nigdy nie powrócił z grobu, aby nam o tym powiedzieć, prawda?

Ja nie mogłem się powstrzymać. — Tylko jedna osoba — powiedziałem — ale potrzeba tylko jednego człowieka, aby pobić rekord.

Mam wystarczająco dużo lat, aby pamiętać, kiedy w przebycie jednej mili w cztery minuty było szczytem możliwości. Dobrze pamiętam tę niezwykłą wiadomość, że Roger Bannister z Wielkiej Brytanii pobił ten rekord. Nawet do tego dnia nigdy osobiście nie byłem świadkiem nikogo zdobywającego rekord jednej mili w cztery minuty. Pomimo tego, nigdy nie przyszło mi do głowy, aby wątpić w historyczny dowód na to, że tak się zdarzyło. Takie same jest moje nastawienie do śmierci i zmartwychwstania Jezusa.

### Pewność o życiu wiecznym

Ze śmierci i zmartwychwstania Jezusa możemy wyciągnąć kilka wniosków. Ponieważ Jezus przezwyciężył śmierć, jest On w stanie dać życie wieczne tym, którym chce. Jego życie, Jego sprawa. Być odseparowanym od Jezusa, to pozostać umarłym (Ewangelia według Św. Jana 3:36).

### Jezus — władcą w Bożym świecie

Od czasu śmierci i zmartwychwstania Jezusa, został On mianowany władcą w Bożym świecie. Jezus tak to opisuje: „Dana

Mi jest wszelka władza w niebie i na ziemi" (Ewangelia według Św. Mateusza 28:18). Jest to wyjątkowo ważne, ponieważ w ten sam dokładnie sposób opisuje Jezus Boga Ojca (Ewangelia według Św. Mateusza 11:25). „Wysławiam Cię, Ojcze, Panie nieba i ziemi." Paweł Apostoł mówi o Jezusie w taki sam sposób:

> „... uniżył samego siebie, stawszy się posłusznym aż do śmierci — i to śmierci krzyżowej. Dlatego też Bóg Go nad wszystko wywyższył i darował Mu imię, aby na imię Jezusa zgięło się każde kolano istot niebieskich i ziemskich, i podziemnych. I aby wszelki język wyznał, że Jezus Chrystus jest PANEM — ku chwale Boga Ojca" (List do Filipian 2:8–11).

Dokładnie w taki sposób Bóg sam się opisuje (Księga Izajasza 45:23–24).

Dlatego to pisarze biblijni ostrzegają nas przed buntem przeciwko rządom Jezusa. Jesteśmy w sytuacji patowej, jeżeli nadal będziemy się Mu przeciwstawiać. Sam Jezus będzie naszym sędzią w dniu ostatecznym. Paweł tłumaczy to w taki sposób: „... wzywa Bóg teraz wszędzie i wszystkich ludzi do nawrócenia, dlatego że wyznaczył dzień, w którym sprawiedliwie będzie sądzić świat przez człowieka, którego na to przeznaczył, po uwiarygodnieniu Go wobec wszystkich przez wskrzeszenie Go z martwych" (Dzieje Apostolskie 17:30–31).

### Szatan pobity

Ostatnim aspektem śmierci i zmartwychwstania Jezusa, na który chcę zwrócić uwagę, jest zwycięstwo nad Szatanem. Paweł, w swoim liście do Kolosan, opisuje śmierć Jezusa i jej efekt w tych słowach: „..Po rozbrojeniu Zwierzchności i Władz, jawnie wystawił [je] na widowisko, powiódłszy je dzięki Niemu w triumfie" (List do Kolosan 2:15). Jest to fascynująca ilustracja. Kiedy zwycięscy generałowie powrócili do domu, do Rzymu, często głośno triumfując, generał jadący na końcu procesji zwycięskich legionów przewoził za swoim rydwanem królów i przewodników narodów i miast, nad którymi zwyciężył. Przemawiało to w bardzo obrazowy sposób nawet do najmniejszego dziecka w Rzymie: „Siła i moc Rzymu jest tak wielka, iż możemy królów naszych wrogów uczynić naszymi niewolnikami."

Paweł nawiązuje do tego i mówi: „Czy widzisz znaczenie śmierci i zmartwychwstania Jezusa? Jest to jak triumfalna procesja, w której Jezus demonstruje to, że obezwładnił wszystkie siły zła". Jest to naprawdę wspaniała nowina. Nie ma co się dziwić, że aniołowie ogłosili ją jako dobrą nowinę do pasterzy, kiedy Jezus się narodził.

Jest On wspaniałym wybawcą. Jest On w stanie uwolnić nas z niewoli od samych siebie, od grzechów i od samego Szatana.

### 4. CO JEZUS ROBI TERAZ?

W Dziejach Apostolskich, Łukasz mówi nam, że Jezus regularnie ukazywał się przez okres czterdziestu dni po Swojej śmierci i zmartwychwstaniu. Jezus wyraźnie udowodnił uczniom Swoje zmartwychwstanie tak, aby byli pewni, bez żadnych wątpliwości, że zmartwychwstanie miało miejsce. Łukasz mówi nam również, iż kontynuował objaśnianie im królestwa niebieskiego (Dzieje Apostolskie 1:3).

Pewnego razu Jezus powiedział do nich:

„A podczas wspólnego posiłku kazał im nie odchodzić z Jerozolimy, ale oczekiwać obietnicy Ojca: „Słyszeliście o niej ode

Mnie — [mówił] — Jan chrzcił wodą, ale wy wkrótce zostaniecie ochrzczeni Duchem Świętym"" (Dzieje Apostolskie 1:4–5).

Wcześniej, podczas Ostatniej Wieczerzy, Jezus powiedział apostołom o tym ważnym wydarzeniu. Wytłumaczył im, że będzie musiał ich opuścić. Apostołowie byli strapieni, lecz Jezus zapewnił ich, że pomimo, iż nie zostanie z nimi fizycznie, przyjdzie do nich przez Ducha Świętego i w ten sposób będzie z nimi na zawsze.

Jest to na naszą korzyść, że przyjaźń z Bogiem nie ogranicza się do szczególnego miejsca, lecz chrześcijanie mogą jej doświadczyć w każdym miejscu, w każdym czasie przez Ducha Świętego, który przychodzi do wiernych i zostaje z nimi na zawsze.

Jezus wytłumaczył apostołom, że będzie o wiele lepiej, jeśli On odejdzie, bo w tym przypadku będzie mógł przyjść do nich Duch Święty. Przez czas jaki był z nimi, obcowanie z Nim było ograniczone miejscem, lecz po Jego odejściu sam Duch przyjdzie, i obcowanie z Bogiem będzie możliwe bez żadnych ograniczeń(zob. Ewangelię według Św. Jana 14:15–31, 15:26–27, 16:5–15). Dlatego też przyjście Ducha Świętego miało miejsce po powrocie Jezusa do nieba, gdzie rządzi teraz jako władca nad całym stworzeniem.

Duch Święty jest również nazywany Duchem Jezusa Chrystusa (List do Filipian 1;19) i pracuje dla wierzących. On to przekonuje nas, jak poważny jest nasz bunt, pokazuje, że potrzebujemy przebaczenia (Ewangelia według Św. Jana 16:5–15). To prowadzi nas do nowego narodzenia (Ewangelia według Św. Jana 3:18) i zmienia nas tak, abyśmy pragnęli zadowolić Boga, a nie zwalczać Go (List do Rzymian 8:8) To On sprawia, że stajemy się przyjaciółmi Boga w bliskiej z nim relacji. (List do Rzymian 8:15–16). On uczy nas, jak pogłębić tę przyjaźń przez modlitwę

(List do Rzymian 8;26–27) i czytanie Biblii. To On pomału zmienia nasze życie tak, abyśmy stawali się jak Jezus (Drugi List do Koryntian 3:18). Jeżeli jeszcze się to nie wydarzyło w Twoim życiu, powinieneś poprosić Jezusa, aby zesłał Ducha Świętego, który może odnowić Twoją przyjaźń z Bogiem i uczynić w Tobie trwałe zmiany. Możesz być pewien, że Bóg odpowie na tą modlitwę. Jezus obiecał: „… a tego, który do Mnie przychodzi, precz nie odrzucę" (Ewangelia według Św. Jana 6:37).

Jest też drugi aspekt teraźniejszej pracy Jezusa. Pismo Święte mówi nam, że w niebie Jezus działa jako wstawiennik za Swoich ludzi (List do Hebrajczyków 6:17–20; 7:25; 1J 2:1–2). On modli się za nas. Wszystko w życiu Jezusa i Jego działalności daje nam ufność w to, że Bóg nigdy, nawet na moment, nie przestał się interesować Swoim światem i każdym z nas.

## 5. DLACZEGO JEZUS POWRACA ?

W chwili, kiedy Jezus wrócił do nieba, Łukasz mówi nam, że dwaj mężczyźni ubrani w biel (aniołowie?) stali przy apostołach i rzekli: „Mężowie Galilei, dlaczego stoicie i wpatrujecie się w niebo? Ten Jezus, wzięty od was do nieba, przyjdzie tak samo, jak widzieliście Go wstępującego do nieba" (Dzieje Apostolskie 1:11). Pisarze Nowego Testamentu zgadzają się z tym, że to, w jaki sposób toczy się ten świat nie będzie trwało wiecznie. Cykl narodzin — życia — śmierci, który jest nam tak znajomy, będzie musiał się zakończyć. Historia świata nie trwa bez końca. Bóg, który odsłonił zasłonę naszej historii, kiedy rzekł: „Niechaj się stanie Światłość" (Księga Rodzaju 1:3) jest tym samym Bogiem, który spuści kurtynę przy powrocie Jezusa na ziemię.

Władza Jezusa jest prawdziwa. Wyraźnie podkreślona przez Jego śmierć i zmartwychwstanie i może być tylko rozpoznana przez wiernych. Jezus zakończy historię stworzenia przez Swój powrót i pokaże całemu światu, że On jest Królem w Bożym Świecie. Uczyni to poprzez osądzenie nas wszystkich. W swoim przemówieniu w Atenach, Paweł Apostoł opisuje to wydarzenie w następujący sposób:

> „... wzywa Bóg teraz wszędzie i wszystkich ludzi do nawrócenia, dlatego że wyznaczył dzień, w którym sprawiedliwie będzie sądzić świat przez Człowieka, którego na to przeznaczył, po uwierzytelnieniu Go wobec wszystkich przez wskrzeszenie Go z martwych" (Dzieje Apostolskie 17:30–31).

To, co Paweł powiedział zgadzało się z nauką Jezusa o Jego powrocie w Ewangelii Św. Mateusza 24:26–51; 25:31–46 i Ewangelii Św. Jana 5:24–29. Podczas kiedy opisy powrotu Jezusa lub Jego drugiego przyjścia nie mówią nam, w jaki sposób, czy kiedy to wydarzenie będzie miało miejsce, jednak nie zostawiają one żadnych wątpliwości, że to się wydarzy i że na pewno:

• Jezus wróci.
• Wróci z triumfem i siłą.
• Będzie sądził żywych i umarłych.
• Jego sąd będzie przeprowadzony całkowicie na podstawie sprawiedliwości i prawdy.
• Założy On nowe niebo i nową ziemię, w których będzie mieszkać Sprawiedliwość. Całe zło będzie obalone.

Sprawiedliwość i prawość nie zawsze wygrywają w teraźniejszym świecie. Nasz świat potrzebuje sprawiedliwości. Nie może być słuszne, aby czyn Hitlera, który popełnił samobójstwo, był równoważny z czynem zrozpaczonej osoby, kończącej swoje życie w samotności i rozpaczy.

Znam młodą matkę, która ma trzech synów, dwaj nie chodzą jeszcze do szkoły. Matka ma białaczkę i wszystko we mnie burzy się: „To nie fair. Co ona zrobiła? Czy jest gorsza ode mnie? Oto ja jestem wysportowany i zdrowy, a ona umiera. Ja jestem kawalerem, nie mam nikogo na utrzymaniu, ona ma męża i troje małych dzieci" *To nie jest sprawiedliwe.*

Czy widzisz jak okropne jest grzeszenie. Zobacz, do jakiego bałaganu nas to doprowadziło. Byłoby o wiele łatwiej, gdybyśmy nigdy nie odwrócili się od Boga. Grzeszenie jest tak złe, że efekty tego *są* niesprawiedliwe i ślepe. Nie ma sprawiedliwości na tym świecie, ale nie znaczy to, że nie ma wcale końcowej sprawiedliwości. Jezus wróci i będzie sądził świat bezstronnie i w prawdzie. Często trudno jest na tym świecie sprawiedliwie określić winę. W dzień sądu wszystkie złe uczynki będą ujawnione, wszystkie dobre także, abyśmy mogli je ujrzeć. Nie będzie zamieszania, dobro zwycięży nad złem. Nie ma wątpliwości, że dlatego psalmista był w stanie radować się na samą myśl: „Śpiewajcie Panu pieśń nową... Radośnie wykrzykujcie na cześć Pana, cała ziemio, cieszcie się i weselcie, i grajcie;... bo nadchodzi sądzić ziemię. On będzie sądził świat sprawiedliwie i według słuszności — ludy" (Psalm 98:1,4,8,9).

Kiedy to nastanie, wierni będą żyć w nowym stworzeniu, gdzie nie będzie już śmierci, bólu ani łez. Jest to opisane w poetycki sposób jako miejsce, gdzie wilk i baranek będą jeść razem; lew będzie jeść siano razem z wołem, (co się dobrze składa dla barana i woła); i gdzie dziecko będzie bawiło się w kryjówce kobry i gdzie nikt nie będzie zraniony i zniszczony (Księga Izajasza 11:8; 65:25). W rzeczywistości, będzie tak, jak w ogrodzie Eden. Ludzie żyć będą w zgodzie z Bogiem, w zgodzie ze sobą i w zgodzie z otoczeniem.

Będzie tak dobrze, że możemy być usprawiedliwieni za pytanie:

—Jeśli wszystko zło ma być obalone i sprawiedliwość ma przetrwać, dlaczego więc Jezus nie wrócił?

W naszych najlepszych momentach mówimy:

—Na świecie jest tyle problemów, jak Bóg może na to patrzeć? Dlaczego czegoś nie zrobi?

Jedna rzecz jest pewna. Nie troszczy się mniej od nas ani nie jest mniej zainteresowany światem, ani nie jest mniej kochający od nas. W rzeczywistości, jest zupełnie odwrotnie. Właśnie dlatego, że kocha świat i ludzi, opóźnia Swój powrót. Piotr tłumaczy dlaczego:

„Nie zwleka Pan z wypełnieniem obietnicy — bo niektórzy są przekonani, że Pan zwleka — ale On jest cierpliwy w stosunku do was. Nie chce bowiem niektórych zgubić, ale wszystkich doprowadzić do nawrócenia" (Drugi List Św. Piotra Apostoła 3:9).

Bóg stworzył ludzi ze swoją własną wolą. Jesteśmy odpowiedzialnymi ludźmi. Bóg okazał nam Swoją miłość i pragnie, abyśmy użyli naszej woli i kochali Go. Nie odbierze nam wolnej woli ani też nie stworzy nas mniej prawdziwych. On pragnie nas przekonać. Przywołuje nas, abyśmy do Niego wrócili. Czasem jest to rozkaz (Dzieje Apostolskie 17:30). Czasem łagodne zaproszenie (Ewangelia według Św. Mateusza 11:28). Czasem pukanie (Apokalipsa Św. Jana 3:20), ale możemy być pewni, że nie będzie na siłę ingerował w nasze życie. Nie możesz *zmusić* ludzi, aby cię kochali. Pamiętam pewną historię:

Kiedy byłem dzieckiem, mój ojciec czasem mówił:

—Nie rób tego, John.

Mógł on czasem to powtórzyć.

—Czy ci nie mówiłem, John, żebyś tego nie robił.

Czasami przełożył czas wymierzenia kary:

—John, mówiłem ci sto razy, żebyś tego nie robił.

Co przyczynia się do jego zachowania? Czy to, że był on słabym człowiekiem? Oczywiście, że nie. Robił to po to, abym sam powrócił do jego miłości w posłuszeństwie. Karanie mnie nie sprawiało mu żadnej przyjemności. Tak więc cierpliwie odłożył czas 'sądu'. Raz usłuchałem, raz dostałem to, na co zasłużyłem. Bóg robi dokładnie to samo. Cierpliwie czeka, abyśmy mieli szansę nawrócenia się. Ostrzega nas, że nie będzie tak zawsze trwać, lecz dopóki jeszcze jest czas, możemy nawrócić się i powrócić do Jego miłości. Zawsze uważałem się za szczęściarza, że dzień sądu Bożego został odłożony na wystarczająco długo, abym miał czas na nawrócenie się i zaprzestanie mojego buntu.

Czy mogę Tobie powiedzieć, nie igraj ze swoim szczęściem? Dziś może nastać ten dzień.

# ROZDZIAŁ PIĄTY

# Jak to jest być chrześcijaninem?

**D**O TEJ PORY PATRZYLIŚMY na świat taki, jaki jest i na nas samych, takich, jakimi jesteśmy. Czy tak, czy inaczej, nastawienie nas wszystkich jest takie, iż próbowaliśmy odnosić się do Boga w sposób, który jest niezadawalający. Ignorowaliśmy Go albo próbowaliśmy Go wykorzystać, lub też po prostu okazywaliśmy nasz bunt w postaci otwartej wrogości. Bóg odpowiedział na to w sposób nieoczekiwany. Zesłał na świat Jezusa — Swojego Jedynego Syna — pokazując nam, jaki jest, abyśmy mogli zawrzeć z Nim przyjaźń. Pozwolił Mu umrzeć, aby przyjaźń ta była możliwa, bez wyrzeczenia się Jego czystości i dobroci. On to nawołuje nas do spojrzenia na naszą sytuację i do nawrócenia się od naszej niezależności do przyjaźni z Nim.

We wszystkich znaczących związkach, zaangażowanie jest istotnym elementem. Zobowiązujemy się wobec drugiej osoby i druga osoba robi to samo. Tak też jest w prawdziwej przyjaźni z Bogiem. Jezus zobowiązuje się w stosunku do nas, a my do Niego. Tak więc, jesteśmy w stanie całkowicie zrozumieć wzajemne relacje. Chciałbym teraz poruszyć temat tych aspektów.

**I. TERAŹNIEJSZE ZOBOWIĄZANIE JEZUSA WOBEC WIERNYCH**

Tak naprawdę, co znaczy, iż Jezus poświęcił się dla nas? Opisuje On ten związek ilustracją pasterza ze swoimi owcami.

> „... a owce słuchają jego głosu; woła on swoje owce po imieniu i wyprowadza je. A kiedy wszystkie wyprowadzi, staje na ich czele, a owce postępują za nim, ponieważ głos jego znają... Ja przyszedłem po to, aby [owce] miały życie i miały je w obfitości. Ja jestem dobrym pasterzem. Dobry pasterz daje życie swoje za owce" (Ewangelia według Św. Jana 10:3–11).

Do czasu, kiedy zostałem nauczycielem, zawsze mieszkałem w Sydney. Wiedziałem bardzo niewiele o życiu na gospodarstwie i nic o wypasie bydła. Moją pierwszą posadę nauczycielską objąłem w północnej części Nowej Południowej Walii, w jednej z najlepszych okolic na uprawę zboża i wypasu bydła w Australii. Moja edukacja rozpoczęła się na nowo. Hodowla owiec w tym kraju różni się od hodowli opisanej w Biblii przez Jezusa. Ujrzałem stado powyżej tysiąca owiec, popychanych od tyłu przez kilku poganiaczy i parę dobrze wytresowanych psów. Psy szczekając biegały dookoła i przez niezbyt lekkie ugryzienie w kostkę przekonywały niechętne owce do posłuszeństwa. W miejscu, gdzie mieszkałem, żyło kilka psów owczych, które były za stare do pracy i zostały przeniesione z gospodarstwa na „emeryturę". Bardzo często, żeby trzymać formę, ganiały kury i kaczki. Jeżeli któraś z nich dała radę znieść jajko, to na pewno było ono zniesione 'w biegu'.

Obraz, jaki Jezus nam opisał, owiec pasących się w Palestynie w pierwszym wieku naszej ery jest zupełnie inny i bardzo pociągający. Stado jest małe. Pasterz znał każdą owcę osobiście i po imieniu. Pasterz szedł przodem jako przewodnik. Prowadził je tam, gdzie mogły się paść. Ochraniał je swoim życiem. Jest to idealny wizerunek Jezusa i wiernych.

### Przez Jezusa staliśmy się ważni

Kiedy Jezus poświęca się dla nas, jest to bardzo osobiste i indywidualne. Taki jest charakter związku pomiędzy Jezusem a ludźmi, On przychodzi i żyje na zawsze z każdym z nich. Robi to przez Ducha Świętego (Ewangelia według Św. Jana 14:23). Z punktu widzenia Jezusa nie jesteśmy tylko maleńkim okruszkiem pomiędzy setkami milionów innych na jakiejś dalekiej planecie. Nie można Boga uważać za kogoś, kto jest zbyt zajęty ważniejszymi sprawami, aby się o nas troszczyć.

Bóg ma być uważany za pasterza, który zna każdego *po imieniu* i który nazywa każdego *po imieniu*. Nie wiem, czy uważasz siebie za kogoś znaczącego, czy nie. Bóg uważa, że jesteś znaczący. Wierzy On w to do tego stopnia, że przywołuje Cię do przyjaźni z Nim, jak osoba z osobą.

Mateusz kończy swoją Ewangelię tymi słowami otuchy samego Jezusa: „A oto Ja jestem z wami przez wszystkie dni, aż do skończenia świata" (Ewangelia według Św. Mateusza 28:20). Jedną z największych korzyści w prawdziwej przyjaźni z Jezusem jest doświadczenie wiedzy, że ktoś się o mnie troszczy, kocha mnie i zna mnie 'po imieniu'. W życiu nie ma żadnej sytuacji, gdzie ja jestem całkowicie samotny. Często ludzie mnie nie rozumieją — czasem nawet moja rodzina i przyjaciele. Wiedza, że Jezus zawsze mnie rozumie i nigdy mnie nie ignoruje dodaje mi otuchy.

**Przez Jezusa jesteśmy bezpieczni — teraz**

Kiedy Jezus deklaruje się nam jako Pasterz, staje się przewodnikiem w naszym życiu. Obraz przedstawia Jezusa jako pasterza wskazującego drogę. Jest to dokładnie to, co miał na myśli mówiąc:

„Ja jestem światłością świata. Kto idzie za mną, nie będzie chodził w ciemności, lecz będzie miał światło życia" (Ewangelia według Św. Jana 8:12).

Do naszego biura przyszedł młody sprzedawca artykułów biurowych i wdaliśmy się w rozmowę przy kawie. Powiedział, że przez ostatnie pięć lat pracował w wielu miejscach, a ja zapytałem go, czy jest usatysfakcjonowany swoim życiem i czy wie, jaki jest sens życia. W momencie rozbrajającej szczerości powiedział:

—Nie wiem, jaki jest sens życia i nie wiem, gdzie podążam.

Myślę, że to właśnie wtedy, kiedy całkowicie zdałem sobie sprawę z tego, że to Jezus daje sens życia i kierunek.

Nie wiem, czy kiedykolwiek zadałeś sobie głębokie życiowe pytania:

Kim jestem? Co ja tu robię? Dokąd zmierzam? Jakie znaczenie ma życie? Uważam, że jest bardzo trudno dojść do satysfakcjonujących odpowiedzi na te pytania bez Jezusa. On to mówi:

„Ja jestem drogą i prawdą i życiem" (Ewangelia według Św. Jana 14:6).

W najgorszej sytuacji życiowej, wartością życia jest związek z Jezusem i stawanie się do Niego podobnym.

**Przez Jezusa otrzymujemy przebaczenie — teraz**

On jest dobrym pasterzem, który oddaje Swoje życie za swoje

owce. Nie ma nic, czego On by nie zrobił dla ochrony ludzi. On umarł, aby nasze grzechy były odpuszczone i abyśmy mogli uporać się z naszym sumieniem pełnym winy. Wszyscy zrobiliśmy coś, czego żałujemy i pragniemy, aby było inaczej. Czasem nasza przeszłość dogania nas i oskarża. Niektórzy ludzie pamiętają swoją przeszłość do takiego stopnia, iż wpływa to na nich mentalnie i fizycznie przez całe życie.

Specjaliści z poradni, lekarze i duchowni są otaczani przez coraz większą liczbę ludzi potrzebujących lekarstwa z powodu problemów emocjonalnych. Bardzo często objawia się to w postaci prawdziwych fizycznych objawów.

Mój znajomy został wezwany do udzielenia porady kobiecie, która miała tak wielki problem mentalny, iż bardzo poważnie wpłynęło to na jej stan zdrowia.

Pomimo tego, że poprosiła mojego kolegę o pomoc, przez bardzo długi czas nie była w stanie wyjawić mu, co naprawdę stanowiło jej problem. Z czasem opowiedziała mu historię, która wydarzyło się ponad trzydzieści lat temu, kiedy była młodą dziewczyną. Przez te wszystkie lata utrzymywała to w tajemnicy, co sprawiało, że nie mogła się od tego doświadczenia uwolnić. Czuła się winna i straciła nadzieję, że będzie jej przebaczone. Przeszłość stała się ważniejsza i bardziej realna od teraźniejszości.

Możesz być jak ta kobieta. Bez względu na to czy jesteś, czy nie, Twoje sumienie jest zepsute, czujesz się winny i nierozgrzeszony, ale w prawdziwej przyjaźni z Jezusem Twoja przeszłość jest zapomniana i przebaczona. Jesteś traktowany tak, jakbyś nigdy nie grzeszył.

Wiele lat temu mówiłem na ten temat na Uniwersytecie w Nowej Anglii. W grupie był młody mężczyzna, uczeń jednej z najlepszych prywatnych szkół średnich. Sprawiał doskonałe wrażenie, tryskający intelektem, z widocznym talentem przywódczym. Powiedział:

—Czy naprawdę mówisz, że Bóg całkowicie zapomni o mojej przeszłości? Odpowiedziałem, że to jest to dokładnie, o czym mówię. Oczy jego napełniły się łzami, kiedy mówił:

—To jest prawie zbyt dobre, aby było prawdziwe.

A ja zgodziłem się z nim. Nie miałem pojęcia o jego przeszłości, tak samo jak nie znam Twojej, ale wiem, że Boże wybaczenie przez Jezusa jest „prawie za dobre, aby było prawdziwe" dla każdego z nas.

### Przez Jezusa możemy mieć życie wieczne — teraz

Życie wieczne jest interesującym zagadnieniem. Kiedy Pismo Święte mówi o tym, robi to w taki sposób, aby zaznaczyć Bożą wartość naszego życia, ponieważ należy ono do Niego i trwa wieczność. Kiedy pomyślę, że życie będzie ciągnęło się i ciągnęło bez końca, wydaje mi się to straszne, zwłaszcza jeśli nie ma żadnej nadziei, że nastąpi poprawa. Kiedy Jezus mówi:

„Ja przyszedłem po to, aby [owce] miały życie i miały je w obfitości" (Ewangelia według Św. Jana 10:10), odnosi się do jakości życia, jaka pochodzi z przyjaźni z Bogiem. Sam Jezus zaczyna przeistaczać nas na stałe w nowych ludzi przez Swojego Ducha Świętego. Życie wieczne nie jest czymś, co następuje, kiedy umierasz. Jan mówi nam, iż: „Tak bowiem Bóg umiłował świat, że Syna swego Jednorodzonego dał, aby każdy, kto w Niego wierzy, nie zginął, ale miał [w tej chwili] życie wieczne" (Ewangelia według Św. Jana 3:16).

Do kobiety przy studni Jezus powiedział: „Każdy, kto pije tę wodę, znów będzie pragnął. Kto zaś będzie pił wodę, którą Ja mu dam, nie będzie pragnął na wieki, lecz woda, którą Ja mu dam,

stanie się źródłem wody wytryskującej ku życiu wiecznemu"
(Ewangelia według Św. Jana 4:13–14).

Jezus jest kresem naszych poszukiwań, 'daje sytość' naszej
duszy. Nadaje naszemu życiu znaczenie i kierunek.

**Przez Jezusa możemy mieć nowe życie — teraz**

Kiedy przed swoją śmiercią Jezus tłumaczył apostołom, że
odejdzie, obiecał, że nie zostawi ich samych, lecz że ześle Ducha
Świętego, aby z nimi żył (Ewangelia według Św. Jana 16:6–7). W
Biblii Duch Święty jest czasem nazywany „Duchem Jezusa
Chrystusa" (List do Filipian 1:19), „Duchem Świętym"
(Ewangelia według Św. Łukasza 11:13) lub też „Duchem" (List
do Filipian 2:1). Jego praca ma zmienić nasze życie. Zmiana, jaką
On wywołuje, jest tak wielka, iż o osobie, której Jezus dał Ducha
Świętego, mówi się, że jest 'odrodzona'. Piotr opisuje to w
następujący sposób:

> „Niech będzie błogosławiony Bóg i Ojciec Pana
> Naszego Jezusa Chrystusa. On w swoim wielkim
> miłosierdziu przez powstanie z martwych Jezusa Chrystusa
> na nowo zrodził nas do żywej nadziei" (Pierwszy List Św.
> Piotra Apostoła 1:3)

Duch daje nam nowe pragnienie do wzrastania jak Jezus i nowy
potencjał do życia. On nas przeistacza. Kiedy byłem na studiach
teologicznych, odwiedził nas ewangelista. Powiedział, że jako
dziecko bał się swojego ojca, który za dużo pił, a kiedy był pijany
bił rodzinę. Wyniósł meble z domu, aby zaspokoić swój nałóg i
często rodzina nie miała co jeść. Pewnego wieczoru człowiek ten
przechodził ulicą, gdzie odbywała się ewangelizacja organizowana
przez Armię Zbawienia. Usłyszał tam o Jezusie i o tym, co dla

niego uczynił. Mężczyzna ten nawrócił się i poprosił Chrystusa o wybaczenie i aby zmienił go w nowego człowieka. I tak się stało. Miał on nadal te same problemy, rodzina nadal się go bała — dom nadal nie miał mebli, lecz miał on teraz nowy sposób spojrzenia na życie. Rodzina nie wierzyła w to, że miała miejsce prawdziwa zmiana. Jednak każdej nocy przychodził do domu trzeźwy. Następnego piątkowego wieczoru wrócił do domu z całą pensją. Po raz pierwszy, co wszyscy doskonale zauważyli. Tego tygodnia cała rodzina zjadła obfity posiłek. Następnego tygodnia przyniósł jedno krzesło, wszyscy bawili się, siadając na nim kolejno. Po miesiącu cała rodzina w pewnym stopniu wróciła do normalnego życia.

Zmiana, która nastąpiła w tym człowieku, zaszła w jednej chwili. Potrzeba jednak było lat, aby ta zmiana wypełniła się w praktyce. Duch Święty daje nowy potencjał, który pomaga nam spojrzeć życiu w 'twarz'i spędzić je właściwie.

Kiedy pracowałem jako pomocnik w czasie misji Billy Grahama w 1979 roku, usłyszałem niesamowitą historię o parze małżeńskiej, która właśnie się nawróciła. Małżeństwo nie układało się dobrze, rozstali się. Bez wiedzy o tym, co robiło drugie, obydwoje poszli na przemówienie Grahama. I nawrócili się.

Po misji, mąż zdecydował, że powinien skontaktować się z żoną i zadzwonił do niej, aby się zapytać, czy mógłby się z nią widzieć tego wieczoru. Ona była ostrożna i powiedziała mu, że już gdzieś wychodzi. On jednak nie dawał za wygraną, mówiąc:

—To jest bardzo ważne. A gdzie idziesz?

—Jeśli naprawdę musisz wiedzieć, idę studiować Biblię w grupie.

Tak go zaskoczyła, szybko zaczął tłumaczyć jej, co się mu przytrafiło podczas misji. Kilka dni później spotkali się, porozmawiali i po kilku miesiącach, z pomocą innych zeszli się z powrotem. Nadal mieli problemy, lecz mieli nowy potencjał, aby móc je wspólnie rozwiązywać.

*Co robi Duch Święty.* Rezultat pracy Ducha Świętego jest opisany w taki sposób:

> „Owocem zaś Ducha jest: miłość, radość, pokój, cierpliwość, uprzejmość, dobroć, wierność, łagodność, opanowanie" (List do Galatów 5:22,23).

Duch Święty zaczyna pracę w naszym życiu i przyczynia się do wzrostu i rozwoju tych cech podobnych Bogu w Jego ludziach.

**Przez Jezusa nie potrzebujemy bać się śmierci — teraz**
W zachodniej części Świata, w chwili obecnej, niesamowicie boimy się śmierci. Udajemy, że nigdy się nie przydarzy, przynajmniej nie nam. Bardzo rzadko rozmawiamy na ten temat. Może czasem wyrazimy się o niej w abstrakcyjny sposób, lecz bardzo rzadko mówimy o naszej własnej śmierci. Kiedy poruszamy ten temat, ludzie mówią nam, że jesteśmy zgorzkniali. Nasz strach przed śmiercią przejawia się w naszych wysiłkach do udawania, że jesteśmy młodsi niż na to wyglądamy. Ze wszystkimi przypadkami śmierci, jakie nas otaczają, niechętnie stajemy w obliczu własnej śmierci.

W swoich słynnych słowach, z dnia, kiedy przywrócił do życia swojego przyjaciela — Łazarza, Jezus rzekł:

> „ja jestem zmartwychwstaniem i życiem. Kto we Mnie wierzy, choćby i umarł, żyć będzie. Każdy, kto żyje i wierzy we Mnie, nie umrze na wieki" (Ewangelia według Św. Jana 11:25,26).

Śmierć nie jest straszna dla dziecka Bożego. Ono wie, że będzie bezpieczne z Jezusem, Panem życia, śmierci i życia po śmierci. Podkreślam różnicę pomiędzy śmiercią a procesem umierania. Nikt na pewno z niecierpliwością nie oczekuje śmierci, pomimo że może to być o wiele gorsze dla tych, co widzą, niż tych, co przez to przechodzą. Jakkolwiek nie ma strachu śmierci i jej rezultatów dla dziecka Bożego.

**Przez Jezusa należymy do nowej rodziny — teraz**

Jednego razu, kiedy Jezus nauczał tłum ludzi, przyszła też Jego matka i bracia. Stali na zewnątrz budynku i posłali Mu wiadomość. Ktoś w tłumie powiedział:

„'Oto Twoja Matka i bracia na dworze pytają się o Ciebie.'

Odpowiedział im: 'Któż jest moją matką i [którzy] są braćmi?'

I spoglądając na siedzących dokoła Niego rzekł: 'Oto moja matka i moi bracia. Bo kto pełni wolę Bożą, ten Mi jest bratem, siostrą i matką'" (Ewangelia według Św. Marka 3:32–35).

Jezus nie tylko czyni z nas nowych ludzi, ale obiecuje włączyć nas do nowej rodziny. Być zjednoczonym z Jezusem, to być zjednoczonym z tymi, którzy do Niego należą — Kościołem Bożym.

Niektóre osoby miały przykre doświadczenia z kościołem, lecz ja tego nie doświadczyłem. Doszedłem do wniosku, że są to ludzie łaskawi, troskliwi i wybaczający. Za każdym razem podróżując dookoła świata, czy to w Australii, czy w Wielkiej Brytanii, USA, Kanadzie, na kontynencie, w Afryce, w Indiach, w Singapurze, Hong Kongu, Nowej Gwinei czy Pakistanie, znalazłem ludzi Chrystusa i byłem witany zawsze jak członek rodziny. W niektórych przypadkach miałem niewielką możliwość być zrozumianym, znając tylko troszeczkę ich język, ale zawsze byłem obdarowywany miłością. Jest to ogromna rodzina z członkami w różnych miejscach świata. Nie mam żadnych wątpliwości, że gdybym nie był chrześcijaninem, nie spotkałbym tak szerokiego grona przyjaciół. Opiszę mój własny kościół w rozdziale czternastym, ale nie chciałem czekać na przedstawienie tego aspektu zobowiązania Chrystusa do nas.

### Przez Jezusa nasze modlitwy mogą być wysłuchane — teraz

Jeden z moich kolegów opowiada historyjkę o wyprawie do nowego fryzjera w jego okolicy. Fryzjer pyta, czy mieszka niedaleko, a on mówi, że tak.

—Nie widziałem ciebie w tutejszej knajpie — rzekł fryzjer.

—Nie — odpowiedział — nie chodzę tam.

—Gdzie pijesz? — nie dawał za wygraną.

—Tak się składa, że nie piję wcale piwa.

—W takim razie jak sobie radzisz z problemami?

—W różny sposób. Rozmawiam z moją żoną, czasami z moimi przyjaciółmi, ale tak naprawdę to w modlitwie mówię o moich problemach.

Tak jak mój kolega, nie potrzebuję szukać sztucznych czy tymczasowych rozwiązań na moje problemy. Mogę stanąć przed ich obliczem, wiedząc z pewnością, że nie jestem sam; pomimo tego, że nie mam żony czy rodziny, z którymi mógłbym się nimi dzielić, jestem pewien, że Jezus słyszy moje modlitwy.

My wszyscy możemy mieć tę pewność, że Jezus usłyszy i odpowie na nasze modlitwy, jeżeli pozostaniemy z Nim w odpowiednim związku. On obiecał nam, że wysłucha nas, Jeśli będziemy prosili. I odpowie na nasze prośby w sposób, jaki *będzie najlepszy dla nas*. Nie zawsze odpowiedź może być taka, jaka nam się wydaje, że powinna być, ale Bóg będzie zawsze postępował w stosunku do nas jako kochający, odpowiedzialny Ojciec. Każda prośba będzie wysłuchana, i będzie dopowiedziana w najbardziej pomocny dla nas sposób.

Tuż przed śmiercią, Jezus powiedział swoim apostołom:

> „A o cokolwiek prosić będziecie w imię moje, to uczynię, aby Ojciec był otoczony chwałą w Synu. O cokolwiek prosić Mnie będziecie w imię moje, Ja to spełnię" (Ewangelia według Św. Jana 14:13–14).

Słowa „w moje imię" znaczą „według mojego charakteru".

Mieć Jezusa poświęcającego się dla nas jest doprawdy wielkim przywilejem. Jego przyrzeczenie czyni nas ważnymi. Jesteśmy pewni Jego przebaczenia i życia wiecznego. Obiecuje dać nam nowe życie przez swojego Ducha żyjącego w nas. Umieszcza nas w nowej rodzinie, zabiera strach przed śmiercią i obiecuje wysłuchać nasze modlitwy. Może to brzmieć zbyt dobrze, ale jest to doświadczenie wszystkich chrześcijan.

Jakkolwiek związek ten nie jest jednostronny, Jezus dał nam obietnicę. Jaki jest charakter naszego zobowiązania względem Niego? Jezus mówi nam dokładnie, jakie musimy spełnić warunki, aby On mógł stać się naszym przyjacielem.

## 2. NASZE ZOBOWIĄZANIE DO JEZUSA — TERAZ

Jezus powiedział: „Jeśli kto chce iść za Mną, niech się zaprze samego siebie, niech co dnia bierze krzyż swój i niech Mnie naśladuje! Bo kto chce zachować swoje życie, straci je, a kto straci swoje życie z mego powodu, ten je zachowa. Bo cóż za korzyść ma człowiek, jeśli cały Świat zyska, a siebie zatraci lub szkodę poniesie?" (Ewangelia według Św. Łukasza 9:23–25).

Kiedy Jezus wspominał o „braniu swojego krzyża", mówił o

rezygnacji z żądania praw do naszego życia. Oznacza to przygotowanie na egzekucję. Nikt, kto słuchał Jezusa nie mógł pomylić Jego znaczenia. Wiedzieli, co znaczyło ukrzyżowanie.

W szóstym roku naszej ery, kiedy Jezus miał około dwunastu lat, Galilejczyk o imieniu Judasz poprowadził duże powstanie żydowskie przeciwko Rzymianom, którzy w tym czasie okupowali Judeę. Powstanie upadło a ci, co przeżyli byli pewnie skazani na ukrzyżowanie. Jest to bardzo prawdopodobne, że Jezus i ci, żyjący w jego czasach, byli świadkami horroru ukrzyżowania, gdyż w taki właśnie sposób Rzymianie wykonywali egzekucje na swoich ofiarach wzdłuż dróg i w ważnych miejscach. Ostrzeżenie było wyraźne: 'Nie opieraj się Rzymskiej mocy'.

Nie ma wątpliwości, że pozotawiło to mocne wrażenie na psychice młodego mężczyzny

—Jezusa. Wszyscy wiedzieli, o czym On mówił. Jeżeli my mamy podtrzymać naszą przyjaźń z Panem Jezusem, to dzień po dniu musimy Jemu poddać naszą wolę i zamierzenia. Zawsze wydaje się to trudniejsze do zrobienia tym, którzy nie są w bliskiej relacji z Jezusem. Jest to poddaniem, lecz poddaniem, które przynosi ze sobą przyjaźń, daje nowe życie. Zostać niezależnym oznacza „stracić życie", nawet gdybyśmy mieli zdobyć cały świat, który jest dość wysoką wygraną! Oddać swoją niezależność oznacza zyskać „życie w obfitości" (Ewangelia według Św. Jana 10:10).

Pozwól mi opowiedzieć Ci o młodej parze, Tomie i Sally, którzy dopiero się zakochali. On całkowicie stracił głowę. Związek Toma z Sally może być opisany w różny sposób, zależnie od tego jak na to spojrzysz. Jeśli rozmawiasz z przyjaciółmi Toma, oni opiszą Ci jego nowe zachowanie następująco:

—My nie wiemy, co się z nim ostatnio stało. Wydaje się nam, że trafiło go 'jak grom z jasnego nieba'. Nie podrywa już dziewczyn. Nie chodzi na kielicha co piątek z kumplami. Ktoś mówił, że w ostatnią niedzielę był w Galerii! Wyobraź sobie Toma w galerii malarskiej. Mam nadzieję, że mają obrazy ubezpieczone. Co gorsza, ktoś powiedział, że sprzedał swoją deskę surfingową, chociaż nie chce mi się w to wierzyć.

Z innej stronny wypowiedź Toma układa się następująco:

—Spotkałem tą wspaniałą dziewczynę — Sally. Jest ona tak fascynująca, że nie mogę przestać o niej myśleć. Byliśmy razem już w różnych miejscach i ma ona świetnych znajomych. Gdybyśmy mu powiedzieli:

—Ale musiałeś się wielu rzeczy wyrzec, żeby się z nią związać, prawda? Byłby on zdziwiony.

—Nie chodzisz na kielicha z kumplami w piątki. Nie podrywasz już dziewczyn. Czy jest to prawda, że sprzedałeś swoją deskę surfingową? To są dosyć duże wyrzeczenia, czyż nie?

—Wyrzeczenia? Nie bądź niemądry! Ja po prostu nie mogę robić tego wszystkiego i w tym samym czasie być z Sally. To jest proste.

W każdej przyjaźni zależy to od tego, czy w niej uczestniczysz, czy też jesteś osobą obserwującą.

Można opisać chrześcijaństwo jako długą listę uczynków zakazanych i dozwolonych. Z drugiej strony, powinno być to odpowiednio rozpatrzone z punktu widzenia Pana Jezusa i pozytywnych zmian, jakie On wprowadza.

Wcześniej, opisałem moje spotkanie z wykładowcą historii i zaznaczyłem, że potrzeba, abyśmy ustąpili tym, którzy mają większą wiedzę od nas. Jeżeli będziemy udawać, że wiemy więcej od nich, kiedy jest jasne, że tak nie jest, to nie ma przyszłości dla tej przyjaźni. Potrzebujemy poddać naszą wolę Jezusowi, z powodu Jego zrozumiałej wiedzy eksperta.

Jan rozpoczyna swoją Ewangelię opisując Jezusa, jako specjalistę w co najmniej czterech dziedzinach:

1 Wiedza o Bogu
2 Twórczość
3 Życie
4 Moralność

Jan mówi: „Na początku było Słowo [Jezus], a Słowo było u Boga, i Bogiem było Słowo. Ono było na początku u Boga. Wszystko przez Nie się stało, a bez Niego nic się nie stało, co się stało. W Nim było życie, a życie było Światłością ludzi, a Światłość w ciemności świeci i ciemność jej nie ogarnęła" (Ewangelia według Św. Jana 1:1–5).

1. Jezus jest ekspertem wiedzy o Bogu.
*„A Słowo było u Boga, i Bogiem było Słowo".* Nie ma żadnego powodu, dla którego nie powinienem być zaprzyjaźniony z Jezusem do czasu, aż nie stanę się całkowitym nudziarzem i nie zacznę poprawiać Jego teologii.

Jeśli ja chcę się czegoś o Tobie dowiedzieć, powinienem zapytać osoby, które z Tobą mieszkają. Im dłużej z nimi mieszkałeś, tym lepsza jest ich wiedza. Jan mówi nam o Jezusie [Słowie], że był z Ojcem od zawsze. Nie ma nikogo, kto lepiej kwalifikuje się do powiedzenia nam o Bogu. On był z Nim przez cały czas. Tak więc, kiedy Jezus mówi nam o Bogu, wierzymy Mu.

Może będę musiał poprawić swoje poprzednie opinie. Może też pozbyć się niektórych. Lecz jest to niemożliwe, abym wszedł w związek z Jezusem, a następnie korygował Jego naukę. To On jest specjalistą w teologii.

Kiedy Jezus powiedział: „ja jestem drogą i prawdą i życiem.

Nikt nie przychodzi do Ojca inaczej jak tylko przeze Mnie"
(Ewangelia według Św. Jana 14:6), to chrześcijanin w to wierzy.
Jezus wie, jak Bóg działa i co czuje. Jest On wtajemniczony w
plany Boga. My przez cały czas chcemy upodobnić Boga do nas
samych. Chcemy mieć Go w ręku. Napisałem tę książkę podczas
Świąt Bożego Narodzenia. Byłem w kościele w pierwszy dzień
Świąt i dziwiłem się, dlaczego jest tyle ludzi, którzy normalnie nie
przychodzą do kościoła. Czy jest tak, że gdy myślimy o Jezusie
jako o dziecku w stajence, jest On taki bezbronny i niczego się nie
domaga. Jesteśmy w stanie mieć w ręku 'dziecko'. Ale Słowo,
które było z Bogiem i które *jest* Bogiem, i zawsze było, jest
zupełnie inną sprawą. On, i tylko On, jest w stanie powiedzieć,
jaki jest Bóg.

## 2. Jezus jest ekspertem w stworzeniu

„*Wszystko przez Nie się stało*". Kiedy otwarto Opera House w
Sydney, odbył się cykl koncertów dla uczczenia tej okazji. Byłem
w stanie pójść tylko na jeden z nich. Grała Cleveland Orchestra
pod batutą Lorin Maazell, a śpiewała Birgit Nilsson. Słyszałem jej
wcześniejsze nagrania i gorąco ją podziwiałem. Pierwsza część
koncertu była wspaniała, pomimo że Birgit Nilsson miała śpiewać
tylko w drugiej, więc po przerwie usadowiłem się, aby nareszcie
wysłuchać tego, na co czekałem.

Zabrzmiała orkiestra i zaczęła grać bardzo głośno, byłem
mocno zaskoczony. „Wyrzuciłem pieniądze w błoto" —
pomyślałem sobie — „nie będę w stanie jej usłyszeć". Myliłem się.
Nagle zabrzmiał głos. Był głośny jak armata i czysty jak dzwon, i
tak upłynęło piętnaście minut, kiedy mogłem słuchać przepięknej
muzyki ku mojej ogromnej przyjemności. Pod koniec 'zabrakło
mi rąk' do oklasków. Był to naprawdę wspaniały moment.

Zastanów się jednak, co złożyło się na ten moment przyjemności. Na początku był to geniusz kompozytora, który napisał muzykę. Potem, ciężka praca oraz zdolności i doświadczenie całego życia Birgit Nilsson. To samo można powiedzieć o Lorin Maazell i siedemdziesięciu czy więcej członkach orkiestry.

Był to wspaniały, wzruszający moment. Jest to niezwykłe, gdy pomyślimy, że to właśnie Jezus jest Stwórcą wszelkiej twórczości — „a bez Niego nic się nie stało, co się stało".

Mam na ścianie obraz Franka McCubbina „Zagubione Dziecko". Oryginał jest w Wiktoriańskim Centrum Artystycznym w Melbourne. Kiedy patrzę na niego, wzbudza we mnie tęsknotę do australijskiego buszu. Czuję zapach eukaliptusów i mam ochotę spakować rzeczy i jechać tam natychmiast. Jak malarz może czegoś takiego dokonać?

Może to nie być przedmiotem Twoich zainteresowań, ale czasem musiałeś być zachwycony czyjąś twórczością, kiedy powiedziałeś:

—Co za geniusz! Jak może ktoś zrobić coś takiego?

Jezus jest ekspertem w twórczości. Coraz bardziej uczę się doceniać ten wspaniały świat, jaki Pan Stworzyciel daje mi do zamieszkania. Jednakże, w przeciwieństwie do innych, Jezus tworzy z niczego. On wprowadza w istnienie to, czego nigdy nie było przedtem. Nasza własna twórczość jest zależna od tego, co już jest.

Kiedy nie byłem chrześcijaninem, ale tylko się przyglądałem, moją wielką obawą było poddanie się Jezusowi. Straciłbym całą indywidualność i twórczość. Myślałem, że będzie to posępne życie w szarości. Nie wiem, dlaczego tak myślałem, ale myliłem się. Jezus jest specjalistą od twórczości.

Kiedy zrozumiemy ten aspekt, uchroni on nas przed dwoma

prawdziwymi błędami w życiu. Niektórzy ludzie nie uznają Stworzyciela w Jezusie, czczą świat, używając go wyłącznie dla własnej wygody i lekceważą Tego, który im to ofiarował. Inni, nie zdając sobie sprawy z tego, że stworzenie było nam dane dla przyjemności, stają się ascetami i odcinają się od tego świata. Chrześcijanie odnoszą przyjemność ze stworzenia, znając Tego, kto to zrobił i wiedząc dlaczego.

### 3. Jezus jest ekspertem w życiu

„*W Nim było życie*". Jezus nie jest aż tak daleko, aby nie wiedzieć i nie troszczyć się o nas w sytuacjach życiowych. On był tam, gdzie my jesteśmy i gdzie byliśmy. On był z nami w radościach i smutkach. On wie, jakie jest życie. Lecz, co najlepsze, On wie, czym jest życie. On mówi mi, które rzeczy w życiu są ważne, a które są nieistotne. Tak więc, kiedy On mówi mi, że mam wpierw starać się o królestwo Boże i nie spędzać mojego życia zdobywając dobra materialne lub zapasy (Ewangelia według Św. Mateusza 6:33), pomału uczę się wierzyć i robić tak, jak On powiedział.

On jest ekspertem życia.

### 4. Jezus jest ekspertem w moralności

„*I ciemność jej nie ogarnęła*". To On mówi, co jest dobre a co jest złe. On jest Światłością i nie ma w Nim ciemności (Ewangelia według Św. Jana 1:5). Żyjemy w czasie, w którym byliśmy nauczeni, że moralność jest względna i osobista. Więc mówimy:

—To jest złe dla Ciebie, ale dobre dla mnie.

Prawdziwa przyjaźń z Jezusem będzie oznaczała zmianę moich opinii o moralności. To, co Jezus mówi jest słuszne. On jest ekspertem w tym temacie.

Wcześniej w książce tej opisałem wizytę, którą odbyłem wraz

z moim kolegą — Timem w Galerii Narodowej w Londynie. Zaprowadził mnie, abym zobaczył obrazy z siedemnastego wieku. Już podkreślałem, że jeśli ulegniemy tym, co wiedzą lepiej od nas, To rezultat tego wzbogaca nasze życie.

Ponieważ Jezus posiada 'zrozumiałą ekspertyzę', uleganie Jemu wzbogaca nasze życie w każdym kierunku. Daje On nam nowe spojrzenie na innych ludzi, na pieniądze i posiadłości, naszych nieprzyjaciół, tych w potrzebie, łaskawych uczynków, zmartwień i prawdziwej mądrości. Możesz poczytać o nich w Jego wielkim kazaniu na Górze (Ewangelia według Św. Mateusza 5–7).

### 3. CO TRZEBA ZROBIĆ?

Jak do tej pory starałem się pokazać biblijną analizę naszego aktualnego problemu i Bożego rozwiązania w Jezusie Chrystusie.

W zależności od tego, gdzie się teraz znajdujesz, są trzy odmienne drogi opisane w tej książce.

1. Pokazałem, jak Jezus obiecuje wypełnić swoje zobowiązanie względem nas, oraz jak my powinnyśmy wywiązać się z naszych zobowiązań. Możesz być gotowy uczynić to teraz. Jeżeli tak, to proponowałbym, abyś ominął następne dwie części tej książki i przeszedł natychmiast do części czwartej: *„Co ja mam zrobić?"*

2. Może jednak znalazłeś się w sytuacji, gdzie teoretycznie zgadzasz się z tym, co powiedziałem, ale jak do tej pory nie chcesz jeszcze zobowiązać się Chrystusowi. Mogę Ci zaproponować, abyś przeszedł do trzeciej części: *„Jaka jest alternatywa?"*

3. Z drugiej strony, może nie jesteś w stanie zobowiązać się Chrystusowi, ponieważ nie jesteś pewien, czy Bóg naprawdę

istnieje. Ja sugeruję, abyś czytał dalej po kolei. W drugiej części: *"Czy możemy naprawdę wiedzieć?"* opisuję, dlaczego ja wierzę, że Bóg *istnieje,* że Jezus jest unikalnym Synem Bożym i że Pismo Święte podaje nam niezawodne informacje o Bogu i nas samych.

*Część Druga*

# Czy naprawdę możemy być pewni?

# ROZDZIAŁ SZÓSTY

## *Proszę, niech prawdziwy Bóg wstanie*

„**C**O BÓG ZNACZY DLA CIEBIE? *Czy wierzysz w Niego w sensie biblijnym, czy też istnieje On dla ciebie pod inną postacią?*"

**Bob Hawke**, były rzecznik związków przedsiębiorczych australijskiej Partii Pracy [Premier od 1983]:

„Będąc agnostykiem, w jaki sposób może ktoś odpowiedzieć na takie pytanie: „Co Bóg znaczy dla Ciebie? Nie jestem pewien, czy jest jeden Bóg, czy nie..."

**Profesor Manning Clark**, pisarz i historyk:

„Bóg oznacza część poszukiwania wiary. Czasem wierzę w Boga, który figuruje w Biblii, czasami w Nowym Testamencie, ale nigdy w Starym Testamencie..."

**Norm Gallagher**, sekretarz federalny Związków Zawodowych Pracowników Budowlanych:

„Ja wierzę, że jest tylko jedna rzecz, która mnie zbawi — to

klasa robotnicza. Oni są moim bogiem. Nie mam żadnych religijnych wierzeń. Nie wierzę w Boga przedstawionego w Biblii. Nigdy go nie widziałem... Nigdy go nie spotkałem..."
Frank Galbally, prawnik: „Dla mnie Bóg znaczy wszystko. Reprezentuje On dla mnie nadzieję i oczekiwanie, które wznoszą się wyżej niż cokolwiek śmiertelnik może osiągnąć bez niego..."
(The Weekend Australian, 9–10 stycznia, 1982. Strona 7).

Zebrane odpowiedzi reprezentują kilka możliwych opinii. Niektórzy ludzie są całkowicie przekonani, że Bóg istnieje, niektórzy są niepewni, inni nie są wcale o tym przekonani.

Jeśli Ty nie jesteś pewien, pozwól mi podzielić się z Tobą tym, dlaczego ja wierzę, że Bóg istnieje.

## TYLKO Z DOWODEM

Kiedy przychodzę na przystanek autobusowy i widzę dwoje ludzi tam czekających, *wiem, że* oni tam są, bo ich widzę, słyszę jak rozmawiają i przypuszczam, że jeśli wyciągnę rękę, to będę mógł ich dotknąć. Bez żadnych wątpliwości oni tam są. Dowód na to jest bardzo silny.

W ostatnim rozdziale książki Harpera Lee „Zabić przedrzeźniacza" znajduje się opis dwojga dzieci wracających do domu ze szkolnej zabawy. Idąc przez las wydaje im się, że słyszą za sobą kroki. Kiedy zatrzymują się, aby posłuchać, kroki też się zatrzymują. Są wystraszone. Nagle napastnik rzuca się na nie z wielkim krzykiem. Domyślały się, że ktoś tam był o wiele wcześniej zanim go zobaczyły, a kiedy zaatakował, były pewne jego obecności. Dowód na to był przytłaczający.

Pismo Święte mówi nam, że Bóg dawał ludzkości dowody, że istnieje od samego początku świata. Potem zaś przyszedł zupełnie jawnie, w osobie Jezusa Chrystusa, co jest historycznym faktem.

### DLACZEGO W JEZUSIE?

Przypuśćmy, że jesteś na bezludnej wyspie po katastrofie okrętowej. Badając wyspę napotykasz ogród z dokładnie zasadzonymi rządkami warzyw i kwiatów. Wszystko wspaniale rośnie. Grządki są wyplenione i dobrze utrzymane. Możliwe jest, że zdarzyło się to przez przypadek, ale bardziej prawdopodobne jest to, iż jest ktoś, kto się tym zajmuje.

Idąc dalej odnajdujesz narzędzia ogrodnicze, kompost i tlący się piec na śmieci, wszystko to umacnia Twoją opinię. Ostatecznie, widząc ogrodnika wychodzącego zza drzewa, Twoje przypuszczenie, że ktoś wykonał tę całą pracę, byłoby potwierdzone. Po tym wszystkim, on sam poprowadził Cię po ogrodzie i wytłumaczył, dlaczego tak wszystko posadził i w jaki sposób tego dokonał. Dowiedziałbyś się czegoś o nim i po co on to wszystko zrobił.

Pismo Święte zajmuje stanowisko, że świat wokół nas mówi nam o istnieniu Boga. Jest to możliwe, że wszystko to jest rezultatem przypadku. Jest to jednak bardzo nikłą szansą. Jest bardziej prawdopodobne, że ktoś przyczynił się do tego. Pismo Święte mówi, że Bóg to zrobił.

Bóg nie zaprzestał pokazywać i mówić o swoim istnieniu. Czynił to przez swój lud Żydów i przez proroków, jakich im wysłał. Pod koniec Bóg 'wyszedł zza drzewa'. Zesłał On Swojego Syna — Jezusa Chrystusa, aby stał się człowiekiem, i abyśmy dowiedzieli się, że On istnieje i jaki jest dokładnie. Biblia tak to opisuje:

„Wielokrotnie i na różne sposoby przemawiał niegdyś Bóg do ojców przez proroków, a w tych ostatecznych dniach przemówił do nas przez Syna. Jego to ustanowił dziedzicem wszystkich rzeczy, przez Niego też stworzył wszechświat" (List do Hebrajczyków 1:1,2).

Bóg nie ukrywał się. Pokazywał ludzkości, że istnieje. Jednym z naszych problemów jest to, że my często źle szukamy. Jest faktem, że wyjawił nam swój charakter. Kiedy jeden z apostołów rzekł do Niego podczas Ostatniej Wieczerzy: „'Panie, pokaż nam Ojca, a to nam wystarczy'. Odpowiedział mu Jezus: 'Filipie, tak długo jestem z wami, a jeszcze Mnie nie poznałeś? Kto Mnie zobaczył, zobaczył także i Ojca'" (Ewangelia według Św. Jana 14:8,9).

Bóg nie domaga się ślepej wiary czy podążania w ciemności. On dostarcza nam dowodów, bez żadnych wątpliwości, aby nasza wiara była oparta na faktach. Fakty te skupiają się na Jezusie, więc patrzymy na Niego.

Nie ma wątpliwości, że człowiek ten żył około 2000 lat temu w Palestynie niezwykłym życiem, że Jego wpływ na historię świata wystarcza, aby rozpocząć dochodzenie.

Jezus twierdził, że jest unikalnym Synem Boga. Te słowa, jak również i inne twierdzenia są tak oburzające, że gdyby nie były prawdą, byłyby szalone. Więc, jeżeli jest to prawdą, Jezus powinien być czczony jako Bóg Syn.

Musimy bardzo dokładnie przyjrzeć się osobie, która ma tak ogromną moc.

# ROZDZIAŁ SIÓDMY

## *Niezwykłe, wstrząsające, lecz wiarygodne*

NIEKT ÓRZY LUDZIE IMPONUJĄ nam swoją inteligencją. Sir Robert Menzies, dawny Premier Australii, usłyszał kogoś w tłumie mówiącego do niego:

—Powiedz nam wszystko, co wiesz, Bob, nie zajmie to dużo czasu.

Szybko jak błyskawica nadeszła odpowiedź:

—Powiem ci wszystko, co obydwoje wiemy, nie zajmie to wiele dłużej![1]

Innego razu ktoś powiedział:

—Nie głosowałbym na ciebie, nawet gdybyś był Archaniołem Gabrielem.

Na co on odpowiedział:

—Gdybym był Archaniołem Gabrielem, proszę pani, obawiam się, że nie byłoby pani na mojej liście wyborczej.[2]

Czytam książkę Kenneth Edwarda „Szkoda, że tego nie powiedziałem", a oto następująca wzmianka: „Pierwszego wieczoru na jednej z jego sztuk teatralnych, Oscar Wilde stał na Sali teatralnej, otrzymując bukiety kwiatów od wielbicieli. Jeden z widzów, który jak widać nie był jego wielbicielem i chciał go ośmieszyć, podarował mu zgniłą kapustę.

—Dziękuję ci, mój drogi kolego — powiedział Wilde — za każdym razem, jak będę ją wąchał, przypomnę sobie ciebie.[3]

Niektórzy ludzie robią na nas głębokie wrażenie swymi fizycznymi zdolnościami. Jednego razu byłem w cyrku moskiewskim, podczas jego tournée po Australii. Umiejętności akrobatów zapierały mi dech w piersi. Oglądając ich, nie przestawałem zadawać sobie pytania: „ile czasu muszą ćwiczyć, aby występować wieczór po wieczorze, dokonując tego bez upadku?" Kilka lat później uważałem, że najwspanialszą częścią Olimpiady w Moskwie była prawie całkowita doskonałość gimnastyków.

Niektórzy ludzie imponują nam swoją moralną odwagą. Uczyłem w małymy miasteczku, w szkole, gdzie pracowało około pięćdziesięciu nauczycieli. Na zebraniu nauczycielskim, ktoś zaproponował załatwienie pewnej sprawy w sposób, jak można powiedzieć, etycznie wątpliwy. Młody mężczyzna, świeżo po studiach nauczycielskich i najmłodszy członek z całego personelu, wstał i cichym głosem, dość zdenerwowany powiedział:

—Panie dyrektorze, jeśli pan to zrobi, ja pana zdemaskuję. Napiszę do ministra edukacji, dyrektora regionu i gazety. Pan musi robić, co pan uważa za słuszne, tak jak i ja. Spokojnie usiadł. Był on jedyną osobą, która była opanowana. Jakkolwiek sprawa nie była już poruszana i jak się orientuję, nikt na ten temat już nie wspomniał. Był on młodym człowiekiem, który wywarł na otoczeniu duże wrażenie. Australijskim słowem na określenie tego jest 'guts'.

Tak jak imponują nam ludzie w taki czy inny sposób, Jezus Chrystus stawia Siebie w zupełnie odmiennej kategorii. Jego twierdzenia są absolutnie niesamowite, a gdyby nie były prawdziwe, to oznaczałoby, że jest szalony. Jezus jest dla nas wiarygodny, to, co mówi, jest niesamowite i pozostawia nam tylko jedno wyjście.

C.S. Lewis w „Zwykłym Chrześcijaństwie" tak to przedstawia:

„Człowiek, który jest tylko mężczyzną i mówi takie rzeczy jak Jezus, nie byłby wielkim moralnym nauczycielem. Byłby albo obłąkany — na tym samym poziomie, na którym człowiek mówi, że jest gotowanym jajkiem — lub też samym diabłem z piekła. Musisz dokonać wyboru. Albo ten człowiek był i jest Synem Bożym, albo był szaleńcem czy czymś gorszym. Możesz mieć Go za głupiego, możesz na Niego splunąć i zabić Go jako demona; lub też możesz paść przed Nim na twarz i nazywać Go Panem i Bogiem. Lecz nie mówmy żadnych poniżających nonsensów o Nim, jako wielkim humanistycznym nauczycielu. On w tym przypadku nie zostawił nam wolności wyboru. Nie była to Jego intencja".[4]

Niektórzy zasugerowali mi, że *jest* On dobrym moralnym nauczycielem i wzorem dla nas, jednak bronią się przed wyznaniem, iż jest On Panem i Bogiem. Jestem przekonany, że nie można utrzymać tej pozycji w świetle dowodu w Ewangeliach. Jego orzeczenia są takie, że jeżeli są słuszne, jest On *Panem*. Jeśli natomiast jest On w błędzie, to łudzi się — jest *obłąkany*, czy, co gorsza, jest *kłamcą*.

Co Ty o Nim myślisz?

Przekonałem się, że dowody prowadzą tylko w jednym kierunku. Aby pokazać, o czym mówię, chcę zwrócić Twoją uwagę na trzy większe aspekty dotyczące Jezusa jako osoby.

1. JEGO NIEZWYKŁE PRZESŁANIE
2. JEGO WIARYGODNE UCZYNKI
3. JEGO ZMARTWYCHWSTANIE

### I. JEGO NIEZWYKŁE PRZESŁANIE

Nie ma wystarczająco dużo miejsca, aby opisać wszystko, co Jezus powiedział, lecz ja wybrałem sześć różnych wypowiedzi:

a) Chleb życia
b) Światłość świata
c) Dający życie wieczne
d) Przebaczający grzechy
e) Sędzia świata
f) Pan i Bóg

#### a) Chleb życia

Jednego razu, przemawiając do dużego tłumu, Jezus powiedział: „Jam jest chleb życia. Kto do Mnie przychodzi, nie będzie łaknął; a kto we Mnie wierzy, nigdy pragnąć nie będzie" (Ewangelia według Św. Jana 6:35). Z reszty przemówienia wynika, że Jezus jest w stanie dać ludziom satysfakcję w życiu ważniejszą niż fizyczne pragnienia. Jest to jednak bardzo śmiała wypowiedź.

Obydwoje wiemy, jak trudno jest być usatysfakcjonowanym w życiu. Nie jest to łatwe. O wiele trudniej jest zaspokoić potrzeby drugiej osoby. Jest to naprawdę ciężka praca. Usatysfakcjonowanie własnej rodziny jest prawie niemożliwe.

W Anglii, w roku 1980, kilkoro przyjaciół z okolic Cambridge zdecydowało wybrać się do Londynu na weekendową wycieczkę.

Napisałem do nich pytając, co chcą zobaczyć, abym mógł jak najlepiej zaplanować swoją wycieczkę. Wysłałem im przewodnik turystyczny o Londynie. Po kilku tygodniach otrzymałem odpowiedź. Brzmiała tak: „Jak tylko możliwe jest to dla rodziny Howkesów za obopólną, zgodną decyzją, oto jakie miejsca chcielibyśmy zobaczyć". Uśmiechnąłem się na ich szczerość.

Czy nie sądzisz, że jak na człowieka następująca wypowiedź jest bardzo śmiała: „Ktokolwiek, gdziekolwiek, w jakiejkolwiek jest sytuacji, niech przyjdzie do mnie, a ja dam mu satysfakcję w życiu". Taki wydaje się być skutek Jego orzeczenia. Co więcej, chrześcijanie, których znam, mówią jak jeden mąż, że to jest właśnie to, co się im przytrafiło.

Pomimo tego, że ja wierzę w to, co Jezus powiedział, nie domagam się, abyś Ty w to wierzył. To, co chcę powiedzieć, to że jest to niesamowite, jeżeli nie jest prawdą.

### b) Światłość Świata

Jednego razu Jezus powiedział: „ja jestem Światłością Świata. Kto idzie za mną, nie będzie chodził w ciemności, lecz będzie miał Światło życia" (Ewangelia według Św. Jana 8:12). Co za słowa! Trudno jest sobie wyobrazić kogoś myślącego o tym, nie wspominając już mówiącego to. Co byś pomyślał czytając tę książkę aż do tego miejsca, odkrywając takie zdania: „Cieszę się, że przeczytałeś tę książkę, ponieważ ja jestem jedyną osobą, która naprawdę rozumie życie i teraz powiem Ci dokładnie o znaczeniu życia. Jak zrozumiesz to, co mówię, będziesz rozumiał życie. Jeśli nie, na zawsze będziesz w błędzie. Oto jak znaczące są moje słowa"

Oczywiście, że dojdziesz do wniosku, że mój przypadek jest poważny i potrzebuję leczenia. A to jest właśnie to, co powiedział

Jezus : „Ja jestem Światłością świata". Nie mówi, że jest tylko lepiej oświeconą osobą od innych, lecz *źródłem* wszelkiego zrozumienia. Nie mówi, że ukaże nam nowe Światło, lecząc stare problemy, lecz mówi, że jest *Światłością* świata. Jego słowa oznaczają, że jest On zdolny dać kierunek w życiu tym, którzy za Nim podążają, razem ze zrozumieniem znaczenia życia. Są to bardzo mocne słowa, z których wynika, iż gdy człowiek nie idzie za Nim, pozostaje w ciemności i nigdy nie zrozumie, czym jest życie.

Nie ma co się dziwić, że przywódcy żydowscy za czasów Jezusa reagowali w taki sposób na Jego słowa:

„Rzekli do Niego faryzeusze: „Ty sam o sobie wydajesz Świadectwo. Świadectwo Twoje nie jest prawdziwe" (Ewangelia według Św. Jana 8:13). Mówili:

—Ty tylko gadasz. W jaki sposób udowodnisz Swoje słowa?

Jednak chrześcijanie, których ja znam, twierdzą, iż Jezus dał im nowe znaczenie i kierunek w życiu. Nie wahają się zgodzić z tym, że słowa Jezusa mają odpowiednią podstawę. Gdybym ja twierdził, że jestem „Światłością świata" byłoby to bezczelne. Nikt nie odbierałby mnie poważnie. Kiedy Jezus to powiedział, słowa Jego były wiarygodne, ponieważ Jego czyny zgadzały się z nimi.

Jedną z trudności dla nas, ludzi z dwudziestego, nuklearnego wieku, jest to, że prawie wszyscy znamy wizerunek Jezusa, lecz bardzo niewielu z nas czytało jego historię. Dla większości z nas jest On poważnym, złotowłosym, młodym mężczyzną, który błąkał się po Palestynie w pierwszym wieku naszej ery, klepiąc małe dzieci po główkach i mówiąc:

—Bądź grzeczny na miłość boską, bo dobrze być grzecznym. Nic nie będzie bardziej pomocne w zebraniu ważnych informacji o Jezusie, niż przeczytanie Ewangelii według Św. Mateusza, Marka, Łukasza i Jana.

W 1980 roku, na uniwersytecie Nowej Południowej Walii, w ankiecie na temat wierzeń religijnych, mniej niż 30% z tysiąca studentów biorących w niej udział, powiedziało, że przeczytali jedną z Ewangelii. Więcej niż 70% nigdy nie starało się dowiedzieć, kim był Jezus. Jeśli Ty znajdujesz się w tej kategorii, masz obowiązek wobec siebie do poszukania odpowiedzi. Nic nie zastąpi nam Ewangelii.

W rzeczywistości, tak niesamowite są słowa Jezusa, że jeśli nie ma w nich prawdy, to sprawia, że możemy zaliczyć Jego przesłanie do kategorii co najmniej 'dziwnych'.

### c) Dający życie wieczne

Przy wielu okazjach Jezus twierdził, że jest w stanie dać ludziom życie wieczne. Do kobiety, która piła wodę ze studni powiedział: „Każdy, kto pije tę wodę, znów będzie pragnął. Kto zaś będzie pił wodę, którą Ja mu dam, nie będzie pragnął na wieki, lecz woda, którą Ja mu dam, stanie się źródłem wody wytryskującej ku życiu wiecznemu" (Ewangelia według Św. Jana 4:13,14).

Kiedy młody, bogaty człowiek podbiegł do Jezusa z zapytaniem: „Nauczycielu, co dobrego mam czynić, aby otrzymać życie wieczne?" Jezus dał odpowiedź: „idź, sprzedaj, co posiadasz i rozdaj ubogim, a będziesz miał skarb w niebie. Potem przyjdź i chodź za Mną" (Ewangelia według Św. Mateusza 19:16,21). Jezus *daje* życie wieczne. Przez *podążanie* za Nim ludzie mogą otrzymać życie wieczne.

### d) Przebaczający grzechy

Innym zdumiewającym stwierdzeniem Jezusa jest to, że jest On w stanie przebaczyć grzechy. Marek zapisuje to wydarzenie, podczas kiedy Jezus naucza w budynku, gdzie tłum był tak wielki, że było niemożliwe, aby ktoś jeszcze zmieścił się w środku.

Czterech mężczyzn ze sparaliżowanym przyjacielem, którego przynieśli do Jezusa, aby go wyleczył, nie mogło wejść do środka. Ich pomysłowość sprawiła, że próbowali się dostać tylnymi schodami na dach. Zdjęli kilka dachówek, aby opuścić na dół swojego przyjaciela przez powstały w ten sposób otwór. Patrząc na tego mężczyznę, Jezus powiedział: „Synu, odpuszczają ci się twoje grzechy" (Ewangelia według Św. Marka 2:5).

Słowa te nie zniknęły w tłumie pomiędzy tymi, co je usłyszeli. Rozpoznali je, jako orzeczenie boskości. „Czemu On tak mówi? On bluźni. Któż może odpuszczać grzechy, prócz jednego Boga?" (Ewangelia według Św. Marka 2:7).

Uważam, że mieli rację i byli w błędzie. Racja była w przypadku tego, że tylko Bóg może wybaczyć grzechy. Błąd był jednak w nierozpoznaniu Boga w Jezusie, w Synu, pomiędzy nimi.

### e) Sędzia całego świata

Uważam, że prawdopodobnie najbardziej bezczelne ze wszystkich stwierdzeń Jezusa są słowa zapisane w Ewangelii Świętego Mateusza, w rozdziale 25:31–46. W tym tekście Jezus mówi, że On i tylko On będzie sądził ludzkość w dniu sądu ostatecznego. Twierdzi, iż podzieli ludzi na dwie grupy, tak jak pasterz oddziela owce od kozłów. Podstawą tego podziału jest ich nastawienie do Niego, a charakter tego podziału będzie miał stałe skutki. Powie jednym: „Pójdźcie, błogosławieni Ojca mojego, weźcie w posiadanie królestwo, przygotowane wam od założenia świata" (Ewangelia we-dług Św. Mateusza 25:34). Lecz do innych powie:

„Idźcie precz ode Mnie, przeklęci, w ogień wieczny, przygotowany diabłu i jego aniołom" (Ewangelia według Św. Mateusza 25:41).

Są to takie niesamowite słowa. Jednak Jego przesłanie było większe.

### f) Pan i Bóg

Jan w swojej Ewangelii mówi nam o dyskusji, jaką Jezus prowadził z przywódcami żydowskimi. Jezus wezwał ich do uznania, iż przyszedł od Boga. Oni mówili, że jako dzieci Abrahama są dziećmi Boga i nic im nie grozi. Jezus odpowiedział, że gdyby by-li prawdziwymi dziećmi Abrahama, rozpoznaliby Go, bo jak powiedział:

„Abraham, ojciec wasz, rozradował się z tego, że ujrzał mój dzień — ujrzał [go] i cieszył się. Na to rzekli do Niego Żydzi:

„Pięćdziesięciu lat jeszcze nie masz, a Abrahama widziałeś?" Rzekł do nich Jezus: „Zaprawdę, zaprawdę, powiadam wam: Zanim Abraham stał się, JA JESTEM." (Ewangelia według Św. Jana 8:56–58).

Jest to bezpośrednie ogłoszenie się Bogiem. Żydzi dobrze to zrozumieli. Tysiące lat wstecz, kiedy Żydzi byli w niewoli w Egipcie, Mojżesz został wybrany przez Boga, aby wyprowadzić ich na wolność. Jednak nie ufał on swoim możliwościom dokonania tego i powiedział do Boga:

„Oto pójdę do Izraelitów i powiem im: Bóg ojców naszych posłał mnie do was. Lecz gdy oni mnie zapytają, jakie jest Jego imię, to cóż im mam powiedzieć?

Odpowiedział Bóg Mojżeszowi: „JESTEM, KTÓRY JESTEM". I dodał: „Tak powiesz synom Izraela: JESTEM posłał mnie do was" (Księga Wyjścia 3:13,14).

Kiedy Jezus powiedział: „Zanim Abraham stał się, JA JESTEM", orzekł, iż jest Bogiem, który rozmawiał z Mojżeszem tysiące lat wstecz. Żydzi rozpoznali znaczenie tych słów i wierząc, że jest to bluźnierstwo, zdecydowali się zabić Jezusa.

Kiedy Jezus wrócił z martwych, Tomasz padł przed Nim i rzekł: „Pan mój i Bóg mój!" (Ewangelia według Św. Jana 20:28). Zamiast go skarcić, Jezus pochwalił go i wszystkich innych, którzy uznali Go za Pana i Boga. Raz jeszcze jest to bezpośrednie ogłoszenie się Bogiem.

Czy ktokolwiek w taki egocentryczny sposób mówił o sobie? Chleb życia — dający wszelkie usatysfakcjonowanie; Światłość świata — kierownik życia; dający życie wieczne; przebaczający grzechy; sędzia całego świata; Pan i Bóg. Doprawdy tak absosolutne są słowa Jezusa, że nie daje On nam dużo miejsca do sterowania. W świetle Jego stwierdzeń nie możesz powiedzieć:

—Co za interesująca osoba, napij się jeszcze kawy.

Jest jasne, że jeżeli Jezus nie ma racji w Swoim rozumieniu kim jest, to naprawdę jest w wielkim błędzie. Doprawdy w tak wielkim, że musiałby być umysłowo chory, czy co gorsze, 'oszustem' na wielką skalę. Jeżeli chodzi o mnie, ja jestem przekonany, że słowa Jego są prawdziwe i zapraszam Cię do przeczytania Ewangelii.

W ich niesamowitości, dziwną rzeczą w słowach Jezusa jest to, że jego celem jest nasz dobrobyt. Były bokser — Mohammed Ali ciągle mówi: „jestem najlepszy". Jednak nie mówi, że jest w stanie coś dla nas zrobić. Zostawia mnie takiego, jakim jestem, czy też poniża mnie. Lecz Jezus jest zupełnie inny. Tak jakby mówił:

—Ja jestem najlepszy i zobacz, co mogę zrobić dla Ciebie.

Mówi, że ponieważ jest chlebem życia, możemy być usatysfakcjonowani. Ponieważ jest Światłościąś wiata, nie musimy być w ciemności. Ponieważ daje życie wieczne, możemy dzielić z Nim wieczność. Ponieważ przebacza grzechy, nie musimy mieć obciążonego sumienia. Ponieważ będzie sądził cały świat, nie musimy bać się dnia sądu. Jest to tak, jak gdyby zdolny chirurg powiedział:

—Nie martw się, to prosta operacja. Nie masz się czego obawiać. Robiłem to setki razy. Są to egocentryczne słowa, lecz gdy opierają się na faktach, napełniają nas zaufaniem.

Cóż to jest takiego, co sprawia, że tak wstrząsające słowa Jezusa są wiarygodne? Gdybym ja to powiedział, nie traciłbyś na mnie chwili czasu.

## 2. JEGO WIARYGODNE UCZYNKI

Pomimo, że to, co Jezus powiedział jest tak egocentryczne, zaskakuje nas. Jest tak łaskawy, troskliwy, hojny. Wydaje się nie troszczyć o siebie. Jego głównym zajęciem jest pomaganie ludziom.

Trędowaty mężczyzna przyszedł do Jezusa i rzekł do Niego: „Jeśli chcesz, możesz mnie oczyścić". Jezus wyciągnął rękę, dotknął klęczącego człowieka i powiedział: „Chcę, bądź oczyszczony!" (Ewangelia według Św. Marka 1:40,41). Jezus okazał swoją miłość do niego, mężczyzna został uzdrowiony.

Innym razem był tak zajęty uzdrawianiem i nauczaniem, że ci, co byli z Nim blisko, powiedzieli dosłownie: „Jak będziesz tak nadal ciągnął, odejdziesz od zmysłów" (Ewangelia według Św. Marka 3:21). Myślę, że Jego nastawienie do ludzi jest najlepiej podsumowane w tych słowach: „A widząc tłumy ludzi, litował się nad nimi, bo byli znękani i porzuceni, jak owce nie mające pasterza" (Ewangelia według Św. Mateusza 9:36). W rzeczywistości Jezus wywołuje tak głębokie wrażenie, że jest On natchnieniem dla ludzi, którzy poświęcają się ludzkości.

Jezus z Ewangelii wydaje się nie troszczyć o Siebie i jest tak zaabsorbowany innymi, że zapominamy jak naprawdę egocentryczne są Jego słowa. Wydaje się być dziwnym zaprzeczeniem. W moim życiu znałem bardzo wielu egocentrycznych ludzi, jednak nie zdarzyło mi się nigdy spotkać osoby, która pragnęłaby spędzić swoje życie w oddanej służbie dla innych. Tak naprawdę, to było zupełnie odwrotnie. Chcą, aby drudzy oddali się służbie im! W moim życiu również miałem szczęście spotkać ludzi, którzy poświęcili się pracy dla innych. Charakteryzowali się głęboką pokorą, będąc nieświadomymi swojej wielkości. W Jezusie te dwie rzeczy są połączone. Pomimo tego, wydają się być idealnie zrównoważone i dość wiarygodne. Niektóre z Jego wypowiedzi są zgodne z pokornym życiem sługi.

„Ja jestem dobrym pasterzem. Dobry pasterz daje życie za swoje owce" (Ewangelia według Św. Jana 10:11).

Faktycznie, właśnie przez Swoje największe poświęcenie, Jezus obiecuje wyratować nas z grzechów.

Co to za dziwny człowiek. Tak, jak gdybyśmy mieli w jednej osobie zawartego egocentryka w połączeniu z pełnym poświęceń życiem matki Teresy z Kalkuty. Jednak człowiek nie jest jak postać Jekylla i Hyde'a, jest On zrównoważony. Czy może powodem być to, że jest tym za kogo się podawał? Będąc Bogiem — Synem, mówi prawdę o życiu i życiu po śmierci. Będąc Bogiem — Synem, nigdy nie znudzi Go kochanie świata, który stworzył i ludzi w nim, ani też nie zanudzi Go służenie im jako stwórca podtrzymujący życie.

### Zrównoważony człowiek

Jednym z najbardziej wymagających aspektów z życia Jezusa z

Nazaretu jest to, że jest On tak bardzo zrównoważony w każdej sytuacji życiowej. Dla mnie jest to bardzo trudne. Czasami jestem zbyt sentymentalny i miękki, kiedy potrzeba mojej siły, lub też jestem twardy jak granit, kiedy potrzeba mojego zrozumienia i współczucia. Przy innych okazjach mogę szczerze powiedzieć, że nie wiem, co robić. Pozwól, że dam Ci przykład.

Kilka lat temu, jadąc drogą, zatrzymałem się, żeby podwieźć osobę stojącą na poboczu. Kiedy się zatrzymałem, wpadł na mnie z tyłu nadjeżdżający samochód. Byłem naprawdę zaskoczony, nie wspominając już niczego więcej. Wyszedłem zobaczyć jak bardzo uszkodzony był samochód. Mój mały, czysty sedan miał wgnieciony bagażnik jak chusteczka higieniczna. Jego stara 'bomba' miała niewielkie wgniecenie, które szybko wróciło do poprawnego wyglądu przy naszym wypchnięciu! Z wielką trudnością zdołałem zapanować nad sobą i zapytałem:

—Co się stało?

—Nie widziałem cię — odpowiedział.

—Miałeś kłopoty z oczami? (Nieuprzejmie!) Nic to, nie traćmy czasu, pokaż swoje prawo jazdy, to będziemy mogli spisać potrzebne dane.

—Nie mam prawa jazdy — powiedział. Moje ciśnienie podwyższyło się o dziesięć stopni.

—Jak to nie masz prawa jazdy?

—Jestem za młody — rzekł nieśmiało — mam dopiero piętnaście lat.

—Nie dostałbyś prawa jazdy, nawet gdybyś miał pięćdziesiąt pięć lat! Przypuszczam, że i samochód ukradłeś, co?

—Nie — odpowiedział.

—Nie żartuj sobie ze mnie. Chyba nie chcesz mnie przekonać, że ktoś pożyczył ci samochód, dobrze wiedząc, że nie masz prawa jazdy? Chyba masz mnie za głupiego. Masz teraz problem. Twój ojciec będzie miał kłopot i ten, kto pożyczył ci samochód również. W tym momencie chłopak rozpłakał się.

—Chłopak od sąsiadów pożyczył mi, żeby zabrać moją dziewczynę na przejażdżkę po River Road i z powrotem. Mój tata nie wie. Proszę, niech mnie pan nie wyda. Ja tylko się chciałem pochwalić. Przyrzekam, że nigdy tego już nie zrobię.

Mięknę, kiedy widzę, że ludzie płaczą. Ale chcę, abyś powiedział mi, co trzeba zrobić w takiej sytuacji. Przyznam się, że nie wiedziałem, co zrobić, nie była to łatwa decyzja.

Mogę go puścić i sam naprawić szkodę. Mogę zawiadomić policję i pozwolić, aby prawo się tym zajęło. Mogę pójść do jego domu, zobaczyć się z jego ojcem i kolegą, który pożyczył mu samochód i kazać im zapłacić za szkodę, itd. Albo mogę zrobić dwie rzeczy na raz. W prawdziwym życiu o wiele łatwiej jest rozpoznać zrównoważonych ludzi, niż nimi być.

Czytając Ewangelię, zauważ jak naprawdę zrównoważony jest Jezus. Wydaje mi się, że najlepsza tego ilustracja jest zapisana w Ewangelii Świętego Jana. Grupa Faryzeuszy i nauczycieli prawa przyprowadziła do Jezusa kobietę oskarżoną o cudzołóstwo, aby zapytać Go, co należy z nią zrobić. Cudzołóstwo w tamtym czasie było przestępstwem wśród Żydów. Palestyna była pod rzymską okupacją, jednak Rzymianie odebrali Żydom prawo egzekucji kogokolwiek. Przyszli do Jezusa w tajemnicy. Kiedy został zapytany, co z nią zrobić, powiedział dwa zdania, z których jedno sprawiło, że sprawa już nie była do wygrania. Gdyby powiedział „uwolnijcie ją", miałby kłopoty z żydowskimi władzami religijnymi. Gdyby kazał im ją zabić, miałby problem z władzami rzymskimi. Jednak był to tylko początek problemu. Jak zamierzał go rozwiązać? Co powinien powiedzieć ludziom, których nie obchodziła ta kobieta ani sprawiedliwość? Co trzeba zrobić z hipokrytami? Powiedzieli oni do Jezusa:

„Nauczycielu, tę kobietę dopiero pochwycono na cudzołóstwie. W Prawie Mojżesz nakazał nam taką kamieniować. A Ty co mówisz?" (Ewangelia według Św. Jana 8:4,5).

Moje prywatne życie nie jest wystawione na widok publiczny i wiem, że nie jest tak łatwo przyłapać kogoś na cudzołóstwie — na gorącym uczynku. Jak oni to zrobili? Patrzyli przez dziurki od klucza, czy też specjalnie ją wrobili? Wydaje mi się, że to drugie. Chcieli ją ukamieniować.

Pomyśl teraz przez chwilę o tej kobiecie. Co ma się z nią stać? Cały ten przypadek jest pełen problemów. Co ma zrobić zrównoważony człowiek? Wiem, co ja bym zrobił. Jestem pewien, że przekląłbym Faryzeuszy. Pozwoliłbym tej kobiecie odejść. Co Ty byś zrobił?

Jeżeli znasz tę historię, to wiesz, co zrobił Jezus. Jeśli nie, to zobacz jak naprawdę mądry jest Jezus.

„Kto z was jest bez grzechu, niech pierwszy rzuci w nią kamieniem" (Ewangelia według Św. Jana 8:7). Czy nie jest to mądra odpowiedź? Taka prosta, a jednak obnażająca. Jest tak łatwo wiedzieć, co robić, jeżeli dotyczy to czyjegoś problemu, a tak trudno, jeżeli dotyczy to nas, nieprawdaż?

Odpowiedź Jezusa była tak zdumiewająca, że „... Kiedy to usłyszeli, wszyscy jeden po drugim zaczęli odchodzić, poczynając od starszych, aż do ostatnich. (Ewangelia według Św. Jana 8:9). Pozostał tylko Jezus i kobieta. „Kobieto, gdzie oni są? Nikt cię nie potępił?" — zapytał Jezus. „Nikt, Panie!" „I Ja ciebie nie potępiam" — rzekł Jezus — „idź, a od tej chwili już nie grzesz!" (Ewangelia według Św. Jana 8:10,11).

Zobacz, co robi Jezus. W tych kilku zdaniach odsłania dwulicowość, aby mężczyźni ci ujrzeli kim są. Podtrzymuje On sprawiedliwość prawa, a czyn Jego jest pełen miłości i współczucia. A wszystko to w tylko dwóch zdaniach. Sam spróbuj tego czasem — łatwiej powiedzieć niż zrobić.

Taki właśnie jest Jezus z czterech Ewangelii, że nieustannie mówię sobie w duchu: „O tak. Gdybyśmy tylko zachowywali się w taki sposób, świat byłby cudownym miejscem do życia."

Jezus nie jest dziwakiem, jednak jest w stanie wyłapać szaleństwo wierząc, że życie obraca się wśród rzeczy materialnych. W naszych najlepszych chwilach wiemy, że jest to prawda, mimo tego w najgorszych momentach wierzymy, iż gdybyśmy mieli więcej, bylibyśmy szczęśliwi. Jezus ma wspaniałą historyjkę na ten temat. Spróbuję przystosować ją do dzisiejszych czasów. A oto ona:

Jeden człowiek interesu zrobił małą fortunę dzięki ciężkiej pracy i uważnym inwestycjom. Razem z żoną zadecydował pójść wcześniej na emeryturę. Kupili blok mieszkalny na Gold Coast i mieli zajmować mieszkanie z widokiem na ocean, wynająć resztę i żyć wygodnie z tego dochodu. Zorganizowali uroczystość, aby pożegnać się z przyjaciółmi. Stał on na werandzie swojego domu na przedmieściu z chłodnym napojem.

—Co za szczęściarz z ciebie — pomyślał sobie — Masz wszystko, czego potrzebujesz. Jedz, pij i baw się. Nagle straszny ból przeszedł mu przez klatkę piersiową i umarł zanim dostał się do szpitala. Kto teraz dostanie ten blok mieszkalny?

„Tak dzieje się z każdym, kto skarby gromadzi dla siebie, a nie jest bogaty przed Bogiem." Możesz zechcieć przeczytać oryginał z Ewangelii Św. Łukasza 12:16–21.

Pozwól mi zachęcić Cię do przeczytania Kazania na Górze

(Ewangelia według Św. Mateusza, rozdział 5–7) i zobaczenia samemu, czy nie będziesz zachwycony zrównoważeniem tego człowieka.

### Bardzo dobry człowiek

Pewnego wieczoru, przeglądając różne stacje radiowe, trafiłem na kanał, gdzie przeprowadzano wywiady z pisarzami na temat ich książek i stylów. Nie wiem, kim wtedy był ten pisarz, ale dziennikarz rzekł do niego

—Czy tworzysz swoich bohaterów jako dobrych, a łotrów jako złych?

Pisarz roześmiał się i powiedział:

—Staram się stwarzać wszystkie moje postacie jak najbardziej *realnie*.

Pomyślałem sobie: „Masz rację." Prawdziwi ludzie nigdy nie są naprawdę dobrzy, lub bardzo źli, lecz mają w sobie złe i dobre cechy podtrzymywane w napięciu. Czy kiedykolwiek zauważyłeś w literaturze, że naprawdę dobra osoba nigdy nie wydaje się być prawdziwa. Czasem natkniesz się na ludzi jak Polyanna, lecz są oni zawsze za dobrzy, aby być prawdziwi i im są lepsi, tym mniej chce nam się wierzyć w ich realność.

W dziełach fikcyjnych mamy czasem niezrównoważonych ludzi czyniących dobro jak Don Kichote. Od czasu do czasu wydają się oni być prawdziwi. Jezus nie jest „dobry" do takiego stopnia, żeby był niezrównoważony. Nie jest niezrównoważony. Jezus, jakiego znajdujemy na stronicach Ewangelii, jest całkowicie dobrym człowiekiem, będąc całkowicie wiarygodnym. Więc chcę zapytać: Czy pisarze Ewangelii byli tylko bystrzy w charakteryzacji? Czy też mogło być tak, że osoba, jaką widzieli była naprawdę nieskazitelnym człowiekiem —

człowiekiem takim jak Bóg — i zamiast być szarym i nudnym, okazał się On rzetelnym, interesującym, pociągającym i wyzywającym?

Co za dziwna plątanina charakterów. On to skromnie uważa się za Boga!

On to egocentrycznie troszczy się o innych! On to sprytnie obala Swych nieprzyjaciół.

Jest dobry bez zbytniej słodkości! Twierdzi, że zdobędzie świat przez Swoją własną egzekucję!

Kim On jest? Ci, co za nim podążają, są przekonani, że jest On Bogiem — Synem i oddają Mu chwałę jako Panu. Czy fakty pozwalają Ci wierzyć w jedną z tych dwóch alternatyw? Czy jest szaleńcem? Czy jest oszustem?

## 3. JEGO ZMARTWYCHWSTANIE

Powrót człowieka do życia po śmierci jest tak niezwykły, iż musimy przejrzeć dowody w trzech odrębnych kategoriach:

a) Co mówią dokumenty
b) Co zrobili apostołowie
c) Wiadomości bez naocznych świadków

### a) Co mówią dokumenty

Wszyscy czterej pisarze Ewangelii mówią nam o naocznym świadectwie tych, którzy widzieli Jezusa żywego i zdrowego po Jego ukrzyżowaniu i pogrzebie.

Mateusz:

• Jezus ukazał się Marii Magdalenie i Maryi — matce Jezusa (Ewangelia według Św. Mateusza 28:1–10).

• Jezus ukazał się pozostałym jedenastu apostołom, którym nie chciało się w to wierzyć, lecz którzy wszyscy oddali Mu chwałę (Ewangelia według Św. Mateusza 28:16-20).

Marek:

• Grób był pusty, a młody mężczyzna ubrany w białe szaty powiedział kobietom, które przyszły namaścić ciało Jezusa:

„Szukacie Jezusa z Nazaretu, ukrzyżowanego; powstał, nie ma Go tu. Oto miejsce, gdzie Go złożyli. Lecz idźcie, powiedźcie Jego uczniom i Piotrowi: Idzie przed wami do Galilei, tam Go ujrzycie, jak wam powiedział" (Ewangelia według Św. Marka 16:6,7).

Łukasz:

• Opisuje ten sam przypadek jak Św. Marek (Ewangelia według Św. Łukasza 24:1–8).

• Piotr poszedł do grobu i zastał go otwartym z szatami grobowymi nadal tam leżącymi, ale bez ciała (Ewangelia według Św. Łukasza 24:12).

• Jezus ukazał się dwóm uczniom, których imiona nie są wymienione, na drodze do Emaus. Szedł i rozmawiał z nimi podczas siedmiomilowej podróży (Ewangelia według Św. Łukasza 24:13–32).

• Jezus ukazał się Szymonowi (drugie imię Piotra) (Ewangelia według Św. Łukasza 24:34).

Aby całkowicie upewnili się, że nie jest On duchem czy zjawą, Jezus zaproponował apostołom, aby Go dotknęli (Ewangelia według Św. Łukasza 24:37–43).

Jan:

• Maria Magdalena pierwsza zobaczyła pusty grób, a po tym Jezusa (Ewangelia według Św. Jana 20:1,2,10–18).

• Uczniowie, z wyjątkiem Tomasza, widzieli Jezusa (Ewangelia według Św. Jana 20:19–23).

• Tomasz nie dowierzał i powiedział, że uwierzy tylko wtedy, kiedy ujrzy i dotknie rany po gwoździach na rękach Jezusa i Jego przebitego boku (Ewangelia według Św. Jana 20:25).

• Jezus ukazał się po raz wtóry Swoim uczniom, gdy Tomasz był z nimi, i pozwolił Tomaszowi samemu się przekonać, że naprawdę zmartwychwstał (Ewangelia według Św. Jana 20:24–28).

• Jezus ukazał się Swoim uczniom nad Morzem Tyberiadzkim (Ewangelia według Św. Jana 21:1–4). W liście do Kościoła w Koryncie, po około dwudziestu latach po śmierci Jezusa, Paweł napisał list o ludziach, którzy widzieli Jezusa po Jego śmierci i zmartwychwstaniu.

Paweł:

• „… i że ukazał się [Jezus] Kefasowi, a potem Dwunastu, później zjawił się więcej niż pięciuset braciom równocześnie; większość z nich żyje dotąd, niektórzy zaś pomarli. Potem ukazał się Jakubowi, później wszystkim apostołom. W końcu, już po wszystkich, ukazał się także i mnie…"(Pierwszy List do Koryntian 15:5–8).

Jeżeli te sprawozdania nie są oparte na faktach, to są one wstrętnym oszustwem, bo zawierają imponującą listę naocznych świadków. Jeśli nie jest to prawda, jaki mógłby być tego motyw? W tym przypadku zmieniając fakty można wszystko stracić, a niewiele zyskać.

b) Co zrobili apostołowie

Tak jak pokazuje zapis naocznego świadectwa, dwa aspekty życia apostołów po zmartwychwstaniu są godne uwagi.

Po pierwsze, uczniowie zmienili się ze słabych, wystraszonych mężczyzn w odważnych świadków Jezusa i Jego zmartwychwstania. W czasie aresztu Jezusa wszyscy oni porzucili Go i uciekli (Ewangelia według Św. Marka 14:50). Jednak w ciągu paru miesięcy okazali się przygotowani do stawienia się w sali Rady, która skazała Jezusa na śmierć, wszyscy zlekceważyli rozkaz, który zabraniał mówienia o Nim. Co ich zmieniło? Niezachwiana pewność, że Jezus powstał z martwych i że żyje, i jest Panem i Chrystusem (Dzieje Apostolskie 4:10).

### c) Wiadomości nie potwierdzone przez naocznych świadków

Wczesnym porankiem rozniosła się wiadomość, że dostojny członek rządu wypowiedział się we wstrząsający sposób. W tamtym czasie rząd nie był w takim dobrym stanie, i przyszło mi na myśl, że jeśli ich rzecznik naprawdę stwierdziłby to, co stwierdził, rząd powinien upaść.

Bardzo tym zaintrygowany, słuchałem wiadomości co godzinę. Wiadomość była powtórzona kilka razy. Posłuchałem dziennika na innej stacji — nikt o tym nie wspomniał! Pierwszy dziennikarz musiał się mylić, pomyślałem sobie. Jeszcze przed południem oryginalna wiadomość została tak drastycznie poprawiona, że do południa była tak zmieniona, iż nie opłacało się mówić na ten temat w dzienniku.

Pierwsze kazania o zmartwychwstaniu Jezusa spotkały się ze sceptycyzmem i niedowierzaniem (Dzieje Apostolskie 17:32–34). Niedowierzanie skupiało się na fakcie zmartwychwstania Jezusa. Apostołom było równie trudno przekonać ludzi w pierwszym wieku jak nam w dwudziestym. Jakkolwiek nie ma żadnych dowodów na to, że zmienili oni tę nowinę poprzez obalenie jej, modyfikację, czy też dołożeniu czegoś. Jeśli sami tę historię wymyślili, chcąc wpłynąć na wielu ludzi, to wybrali złą drogę. Jako prochrześcijańska propaganda była to i jest posępna plajta, ponieważ jest bardzo ciężko uwierzyć wszystkiemu, co głosi chrześcijaństwo. Nie, apostołowie nie dawali za wygraną. Dlaczego? Dlatego, ponieważ byli przekonani, że widzieli Jezusa żywego po Jego śmierci. W rzeczywistości, Bóg uczynił Go Panem i Chrystusem (Dzieje Apostolskie 2:36).

Na początku tego rozdziału zaznaczyłem, że jakiekolwiek śledztwo na temat chrześcijaństwa jest śledztwem w sprawie Jezusa. Starałem się pokazać, jak naprawdę unikalną jest On osobą. Co więcej, nawet w całości nie uwzględniłem tego, w jaki sposób pisarze Ewangelii opisują Jezusa. Oni byli przekonani, że był On i jest nikim innym, tylko Bogiem — Synem. Oczywiście, Ewangelii nic nie zastąpi. Czy jest możliwe w świetle dowodów wierzyć, że był On obłąkany jak szaleniec? Czy jest możliwe wierzyć, że był On oszustem, kłamcą? Czy jest też inna możliwość niż to, że jest On tym, za kogo się podaje — Synem Boga?

Poza tym, o czym pisałem do tej pory o życiu Jezusa, dla pisarzy Ewangelii jest On Panem w Swoim stworzeniu. On to spełnia oczekiwania, jakie wynikały z czytania Starego Testamentu. To jest właśnie tematem następnego rozdziału...

1  *Bystrość Pana Roberta Menzies* Ray Robinson, Outback Press 1978.
2  *Ibid*
3  *Szkoda, że tego nie powiedziałem* Kenneth Edwards, Abelard-Schuman 1976.
4  *Zwykłe Chrześcijaństwo* C.S. Lewis, W.M. Collins Fontana Books 1970.

# ROZDZIAŁ ÓSMY

# *Pan w swoim świecie*

**W**SZYSCY CZTEREJ PISARZE
Ewangelii wierzyli, że Jezus naprawdę był unikalnym Synem
Boga. Marek rozpoczął swoją Ewangelię słowami: „Początek
Ewangelii o Jezusie Chrystusie, Synu Bożym" (Ewangelia według
Św. Marka 1:1). Zakończył swoją Ewangelię rzymskim setnikiem
nadzorującym ukrzyżowanie Jezusa i mówiącym: „Prawdziwie,
ten człowiek był Synem Bożym" (Ewangelia według Św. Marka
15:39).

Trzej pozostali byli tak samo przekonani. Zobaczyli w Jezusie
tego, który pod każdym względem pasował do opisu Boga ze
Starego Testamentu. Opisując Jezusa, takim, jakim był,
przedstawiają obraz Pana w Jego stworzonym świecie. To On
kontroluje każdą sytuację.

## LEPSZY NIŻ METEOROLOG
Pewnego razu, po nauczaniu z łodzi Piotra, Jezus i Jego uczniowie
popłynęli daleko od brzegu Morza Galilejskiego. Był to wieczór i
Jezus zasnął w tyle łodzi. Zerwał się silny wiatr, uczniowie wpadli

w rozpacz, pomimo tego, że byli doświadczonymi rybakami, dobrze znającymi zatokę i swoją łódź. Było to coś więcej niż zwykły powiew na Sydney Harbour. Jeden z nich potrząsnął Jezusem wołając: „Czy Cię nie obchodzi to, że zginiemy?" Jezus stanął na łodzi i wydał rozkaz wichrowi i falom: „Milcz, ucisz się!"

Oto opis Marka, co się działo dalej. „Wicher się uspokoił i nastała głęboka cisza. Wtedy rzekł do nich: 'Czemu tak bojaźliwi jesteście? Jakże wam brak wiary?' Oni zlękli się bardzo i mówili jeden do drugiego: 'Kim właśnie On jest, że nawet wicher i jezioro są Mu posłuszne?'" (Ewangelia według Św. Marka 4:35–41).

Jezus jest nam ukazany jako Pan w swoim świecie. Z całą pewnością zwykły człowiek nie dokonałby tego, co Jezus. Kiedy tylko przyjdzie Ci na myśl, że jesteś panem nad każdym stworzeniem, popłyń promem z Circular Quay przez Manly lub Zatokę z Dover i w miejscu, gdzie woda najbardziej się wzburza, spróbuj! Rozkaż falom uciszyć się. (Poradziłbym Ci zrobić to cicho, na dziobie statku, gdzie nikt Cię nie usłyszy.)

Nie chcę pozostawić wrażenia, że Jezus był jakimś wybitnym oszustem. Nie ma wątpliwości, że gdy apostołowie widzieli, co Jezus robił, pamiętali słowa Księgi Psalmów ze Starego Testamentu napisane setki lat wstecz, gdzie Bóg jest opisany następująco:

„Panie, Boże Zastępów, któż równy jest Tobie?

Potężny jesteś, Panie, a wierność Twoja w krąg Ciebie otacza.

Ty ujarzmiasz pyszne morze, Ty poskramiasz jego wzdęte bałwany." (Psalm 89:9,10).

I raz jeszcze, opisując ludzi złapanych przez burzę na morzu:

„i w swoim ucisku wołali do Pana,
a On ich uwolnił od trwogi.
Zamienił burzę w wietrzyk łagodny,
a fale morskie umilkły.
Radowali się z tego, że nastała cisza,
I że On przywiódł ich do upragnionej przystani."
(Psalm 107:28–30).

Kiedy spotykamy Jezusa, nie jesteśmy ze zwykłą osobą. Jest On ukazany jako Pan panujący nad stworzeniem.

### Bóg odwiedzający ludzi

Ewangelie obfitują w opisy Jezusa uzdrawiającego ludzkie ciała i umysły. Ci, którzy byli ślepi, odzyskali wzrok. Ułomni byli uleczeni, trędowaci byli uzdrawiani.

Ważne jest, iż Jezus robił to, ponieważ było to dokładnie tak, jak Bóg obiecał czynić. W Księdze Izajasza ze w Starym Testamencie Bóg opisany jest jako ten, który przywrócił ludziom zaufanie:

Pokrzepcie ręce osłabłe,
wzmocnijcie kolana omdlałe!
Powiedzcie małodusznym:
„Odwagi! Nie bójcie się!
Oto wasz Bóg, oto — pomsta;
przychodzi Boża odpłata;
On sam przychodzi, by zbawić was".
Wtedy przejrzą oczy niewidomych
i uszy głuchych się otworzą.

Wtedy chromy wyskoczy jak jeleń
i język niemych wesoło krzyknie.
(Księga Izajasza 35: 3–6)

Kiedy Jan Chrzciciel został aresztowany, wysłał wiadomość do
Jezusa, prosząc, aby Jezus zapewnił go, że jest w rzeczywistości
Bożym Mesjaszem, który jest ratunkiem ludzi. Jezus zacytował tę
część Pisma i użył jej do swojej identyfikacji. Oto, w jaki sposób
Łukasz to opisuje:

> „... Gdy ludzie ci zjawili się u Jezusa, rzekli: 'Jan
> Chrzciciel przysyła nas do Ciebie z zapytaniem: Czy Ty
> jesteś Tym, który ma przyjść, czy też innego mamy
> oczekiwać?' W tym właśnie czasie wielu uzdrowił z chorób,
> dolegliwości i [uwolnił] od złych duchów; oraz wielu
> niewidomych obdarzył wzrokiem. Odpowiedział im więc:
> „Idźcie i donieście Janowi to, coście widzieli i słyszeli:
> niewidomi wzrok odzyskują, chromi chodzą, trędowaci
> doznają oczyszczenia i głusi słyszą; umarli
> zmartwychwstają, ubogim głosi się Ewangelię."
> (Ewangelia według Św. Łukasza 7: 20–22).

### LEPSZY NIŻ SPECJALISTA

Nie ma wątpliwości, że Jezus spodziewał się, iż ludzie poznają Go
jako Bożego Mesjasza dzięki uleczeniom. Niektórzy rozpoznali
Go. Łukasz przypomina jeden przypadek, kiedy rzymski setnik
poprosił Jezusa, aby uzdrowił jego sługę. Wysłał on prośbę przez
żydowską starszyznę celem ponaglenia Jezusa do uczynienia tego.

—Rzymianin — zapewniali Go — jest szlachetny. Kocha
nasz naród i wybudował nam synagogę. Jezus zgodził się pójść z
nimi, lecz w drodze setnik przysłał Jezusowi wiadomość.

„Panie, nie trudź się", bo nie jestem godzien, abyś wszedł pod dach mój. I dlatego ja sam nie uważałem się za godnego przyjść do Ciebie. Lecz powiedz słowo, a mój sługa będzie uzdrowiony. Bo i ja, choć podlegam władzy, mam pod sobą żołnierzy. Mówię temu: 'Idź!' — a idzie; drugiemu: 'Chodź!' — a przychodzi; a mojemu słudze: 'Zrób to!' — a robi."

„Gdy Jezus to usłyszał, zadziwił się i zwracając się do tłumu, który szedł za Nim, rzekł: 'Powiadam wam: Tak wielkiej wiary nie znalazłem nawet w Izraelu'. A gdy wysłani wrócili do domu, zastali sługę zdrowego." (Ewangelia według Św. Łukasza 7:6–10).

Setnik rzymski rozpoznał w Jezusie takiego rodzaju autorytet, jaki stawia Go w wyjątkowej kategorii. To, co Jezus potrzebował zrobić, to wypowiedzieć słowo rozkazu i sługa setnika byłby uzdrowiony. Dalsze wydarzenia pokazują, iż wiara ta nie była położona w niewłaściwej osobie.

### LEPSZY NIŻ JASNOWIDZ

Przytoczyłem już przypadek, gdzie sparaliżowany mężczyzna został spuszczony przez dach, aby Jezus mógł go uleczyć. Kiedy Jezus rzekł do sparaliżowanego człowieka: „Synu, odpuszczają ci się twoje grzechy."

Niektórzy nauczyciele prawa, którzy przy tym byli *myśleli sobie*, „On bluźni! Któż może odpuszczać grzechy, prócz jednego Boga?" Marek bardzo znacząco komentuje: „Jezus poznał zaraz w swym duchu, że *tak myślą*" (Ewangelia według Św. Marka 2:8). Nie mogę wyobrazić sobie niczego tak żenującego, jak przebywanie w towarzystwie z kimś, kto wiedziałby dokładnie, o czym ja myślę!

## EGZORCYSTA, KTÓRY MOŻE

Różne zapisy o Jezusie zajmującym się światem duchów, pokazują Go jako Pana nad złymi mocami. W rzeczywistości, kiedykolwiek Jezus natyka się na niszczycielskie złe moce, natychmiast uwalnia ludzi z ich opresji i niewolnictwa od tych mocy (zobacz Ewangelię według Św. Marka 1:21–27; według Św. Mateusza 8:16).

Pisarze Ewangelii podają nam interesujące opisy wielu egzorcyzmów. To, co jest bardziej interesujące, to, że złe duchy poznają Jezusa jako Syna Bożego. Marek opowiada nam o takim przypadku:

"Był właśnie w synagodze człowiek opętany przez ducha nieczystego. Zaczął on wołać: 'Czego chcesz od nas, Jezusie Nazarejczyku? Przyszedłeś nas zgubić. Wiem kto jesteś: 'Święty Boży'. Lecz Jezus rozkazał mu surowo: 'Milcz i wyjdź z niego!' Wtedy duch nieczysty zaczął go targać i z głośnym krzykiem wyszedł z niego. A wszyscy się zdumieli, tak że jeden drugiego pytał: "Kto to jest? Nowa jakaś nauka z mocą. Nawet duchom nieczystym rozkazuje i są Mu posłuszne." (Ewangelia według Św. Marka 1:23–27).

## ŚMIERĆ — NIE MA PROBLEMU

Są trzy odrębne wydarzenia w Ewangeliach, gdzie Jezus przywrócił ludzi z powrotem do życia. Obydwaj, Mateusz i Łukasz mówią o zwierzchniku, który przyszedł do Jezusa z prośbą o uzdrowienie swojego małego dziecka. Zanim wrócili, córka zwierzchnika już nie żyła. Jezus jednak wziął jej rękę w Swoją i rozkazał:

„'Dziewczynko, wstań!' Dziecko wstało znów zdrowe."
(Ewangelia według Św. Mateusza 9:18–25; Ewangelia według
Św. Łukasza 8:49–56).

Jeden schodek zlikwidowany. W mieście Nain, syn pewnej
wdowy leżał nieżywy w trumnie, przygotowany do pogrzebu.
Jezus zatrzymał procesję. Na widok wdowy Pan użalił się nad nią
i rzekł do niej: „'Nie płacz!' Potem przystąpił, dotknął się mar —
a ci, którzy nieśli, stanęli — i rzekł:

'Młodzieńcze, tobie mówię wstań!' Zmarły usiadł i zaczął
mówić; i oddał go matce." (Ewangelia według Św. Łukasza 7:11–
17).

Byłem na setkach pogrzebów, od kiedy zostałem mianowany
pastorem, a jednak mogę szczerze powiedzieć, że nigdy nie
zdarzyło mi się zapukać do trumny i powiedzieć:

—Młodzieńcze, tobie mówię wstań!

Powód jest jasny, ja nie jestem Panem życia i śmierci.

Te dwa wydarzenia są wystarczająco nadzwyczajne, jednak to
zapisane przez Jana w jego Ewangelii jest jeszcze bardziej
zadziwiające. Łazarz — przyjaciel Jezusa, był chory. Była to
poważna choroba i jego siostry, Maria i Marta, posłały po Jezusa,
aby uzdrowił ich brata. Jezus wstrzymał się i Łazarz zmarł. Kiedy
zawitał w ich domu w Betanii, Marta zrobiła mu wymówkę,
mówiąc: „… gdybyś tu był, mój brat by nie umarł." Siostra jej —
Maria, powiedziała to samo później. Jako odpowiedź, Jezus dał
dwie niesamowicie dramatyczne wypowiedzi. Po pierwsze, Jezus
oznajmił, iż ich brat powstanie z martwych. Powiedziałbym
wstrząsające, ponieważ leżał on w grobie już od czterech dni.
Druga wstrząsająca wypowiedź to:

„Ja jestem zmartwychwstaniem i życiem. Kto we Mnie
wierzy, choćby i umarł, żyć będzie. Każdy, kto żyje i wierzy we

Mnie, nie umrze na wieki." (Ewangelia według Św. Jana 11:25).

Poszli do grobu. Człowiek ten był pochowany w pieczarze, na której spoczywał kamień, według tamtejszych zwyczajów. Jezus rozkazał, aby kamień został odstawiony. Marta była w rozpaczy:

—Nie rób tego! Jego ciało zaczęło gnić. Smród śmierci będzie na nim.

Jezus rzekł do niej:

„Czyż nie powiedziałem ci, że jeśli uwierzysz, ujrzysz chwałę Bożą?" Odsunęli kamień i po modlitwie Jezus zawołał donośnym głosem:

„Łazarzu, wyjdź na zewnątrz!"

Jan opisał to wydarzenie:

> „I wyszedł zmarły, mając nogi i ręce powiązane opaskami, a twarz jego była zawinięta chustą" (Ewangelia według Św. Jana 11:44).

(Mogę się założyć, że włosy im dęba stanęły tego dnia!)

Być w obecności Jezusa z Nazaretu, to być przy niezwykłym człowieku. Jesteśmy w obecności Pana życia i Pana śmierci. W ostatniej księdze Biblii, Apostoł Jan opisuje wizję, jaką miał o zmartwychwstałym Jezusie. Nie jesteśmy zaskoczeni, słysząc Jezusa mówiącego o sobie jako: „ja jestem Pierwszy i Ostatni, i żyjący. Byłem umarły, a oto jestem żyjący na wieki wieków i mam klucze Śmierci i Otchłani." (Apokalipsa Św. Jana 17:18).

## WŁADCA I PAN NAD SWYMI NIEPRZYJACIÓŁMI

Nawet w momencie Jego aresztowania i sądu, pomimo tego, że był więziony i obezwładniony, Jezus nadal wydawał się występować z pozycji siły, a nie słabości. Jego sąd odbył się przed arcykapłanem, Królem Herodem i rządcą — Poncjuszem Piłatem. Czytając Ewangelię, wydaje się, jak gdyby to Jego sędziowie stali przed sądem, a nie sam Jezus. Nie zrobili oni jednak tego, co było słuszne i pomimo niewinności Jezusa, skazali Go na śmierć.

Kiedy myśleli, że uporali się z Nim na zawsze, odkryli, że nie zdołali skazać Go na śmierć wieczną. On to powrócił z martwych. Czasem zastanawiam się, jak musieli się czuć oskarżyciele Jezusa, Jego sędziowie i oprawcy, kiedy dotarła do nich wiadomość o Jego zmartwychwstaniu i o tym, że wszelkie próby odnalezienia Jego ciała nie powiodły się. Zastanawiam się, czy późno w nocy, idąc po schodach do sypialni, oglądali się za siebie.

Obraz, jaki przedstawiają pisarze Ewangelii, pokazuje zachwycającą i niezwykłą osobę. Więc są oni przekonani, że jest On jedynym Synem Bożym.

Tomasz mówi za nich w swoim wyznaniu: „Pan mój i Bóg mój!" (Ewangelia według Św. Jana 20:28). Ja też zostałem przekonany, że właśnie w taki sposób powinno się rozumieć jego osobę w historii.

## TWARZĄ W TWARZ

Jan mówi nam w swojej Ewangelii o swoim przekonaniu, iż Jezus naprawdę był Synem Bożym i właśnie dlatego napisał on swoją Ewangelię.

„I wiele innych znaków, których nie zapisano w tej książce, uczynił Jezus wobec uczniów. Te zaś zapisano, abyście wierzyli, że Jezus jest Mesjaszem, Synem Bożym, i abyście wierząc mieli życie w imię Jego" (Ewangelia według Św. Jana 20:30, 31).

Wszyscy pisarze Nowego Testamentu zgadzają się z Janem w swojej ocenie Jezusa. Wielu z tych pisarzy było osobistymi przyjaciółmi Jezusa. Byli Jego uczniami od samego początku. Żyli z Nim, poruszali się z Nim po kraju, jedli z Nim, dzielili się tą samą sakiewką (może się przysłużyć do popsucia każdej dobrej przyjaźni!). Można się spodziewać, że byli lojalni. Ale to, że opisali Jego, który był z nimi w tak bliskiej relacji jako Syna Bożego, jest niesamowite. Jest wiadome, że nasi przyjaciele znają nasze wady bardzo dobrze i pomimo tego kochają nas. Apostołowie znali Jezusa dokładnie i im lepiej Go poznawali, tym bardziej byli przekonani, że był idealny.

Jakkolwiek, żaden z moich wywodów nie zastąpi czytania oryginałów. Ewangelie są dostępne w nowoczesnym tłumaczeniu. Spróbuj się z nimi zapoznać.

## DWA PROBLEMY

Są dwa pytania, którym powinieneś stawić czoła, zanim zaczniesz swoje badania. Jedno jest o wiele łatwiejsze do rozpatrzenia niż drugie.

Pierwsze to: *Czy naprawdę mogę ufać Ewangeliom?* Czy są one wystarczająco dokładne dla mnie, abym był w stanie odebrać zrozumiały i prawdziwy obraz Jezusa?

Drugie to: *Czy mogę naprawdę ufać sobie, że będę szczery w moim dochodzeniu?* Zajmijmy się drugim pytaniem, które jest prawdopodobnie trudniejsze niż pierwsze.

## CZY MOGĘ SOBIE UFAĆ?

Tylko Ty możesz zająć się tym pytaniem. Jest ono osobiste i prywatne.

Kiedy po raz pierwszy stanąłem przed obliczem Ewangelii i jej wszystkimi implikacjami, moją trudnością nie było to, czy była ona prawdziwa, w sekrecie wierzyłem, że była. Moim problemem było to, że *nie chciałem*, aby była prawdziwa. Nie chciałem, aby Jezus był Panem nad moim życiem. Chciałem być wolny i niezależny. Jak poprzednio już to opisałem, chciałem być swoim własnym Bogiem i najlepiej jak mogłem to zrobić, chciałem zlikwidować Boga. Więc udawałem, że Bóg nie istnieje. To natomiast wywarło skutek na moim śledztwie. Nie pozwoliłem, aby dowody ukształtowały moją opinię. Ja już miałem swoje zdanie. W żaden sposób nie obchodziłem się z tym obiektywnie. Nie pozwoliłem, aby przekonały mnie fakty. Chciałem, aby rezultat był negatywny, ponieważ nie chciałem zmienić mojej drogi życia. Sir Kenneth Clark, przez wiele lat dyrektor Narodowej Galerii Londyńskiej, jasno ilustruje to w drugim tomie swojej autobiografii:

"Żyłem w samotności otoczony książkami o historii religii, która zawsze była moją ulubioną lekturą. To być może pomoże wytłumaczyć ciekawe zdarzenie, które miało miejsce jednej z okazji mojego pobytu w Villinie. Miałem doświadczenie religijne. Stało się to w kościele San Lorenzo, lecz nie wydawało się mieć nic do czynienia z harmonijną pięknością architektury. Mogę tylko powiedzieć, że przez kilka minut moja cała istota była opromieniona jakimś rodzajem ciężkiej radości, o wiele bardziej intensywnej od czegokolwiek, co przedtem znałem. To poczucie trwało przez wiele miesięcy i pomimo tego, że było wspaniałe, pozowało to niewygodny problem z punktu widzenia czynów. Moje życie było dalekie od niewinnego, musiałbym przeprowadzić reformy. Moja rodzina myślałaby, że straciłem zmysły, i być może po tym wszystkim, że była to ułuda, bo byłem pod każdym względem niegodzien otrzymać taką powódź łaski. Pomału efekt ten wywietrzał, a ja nie starałem się zatrzymać go. Myślę, że miałem rację: byłem zbyt głęboko wmurowany w świat, bym miał zmienić kierunek. Ale tego, że 'poczułem palec Boży' jestem pewien, i pomimo że pamięć tego doświadczenia zatarła się, nadal pomaga mi to zrozumieć radość Świętych."[1]

Sir Kenneth Clark opowiada nam z rozbrajającą szczerością, że nie przez jakość dowodów nie przeniósł się w prawdziwy związek z Bogiem, doprawdy otrzymał on doświadczenie, którego ja nigdy nie miałem. Ja zostałem postawiony w zupełnie innej sytuacji.

Ponaglałem jednego młodzieńca na misji uniwersyteckiej, aby wziął Ewangelię i przeczytał ją. Powiedział mi, że nigdy żadnej nie przeczytał, nie chciał uczynić tego nawet z tej okazji.

Co masz do stracenia? — zapytałem.

Wszystko — odpowiedział — może się okazać, że jest prawdziwa.

Doprawdy zrozumiałem, co miał na myśli. Widziałem samego siebie. Pytanie, 'Czy mogę sobie ufać, że spojrzę na to szczerze?' jest trudne. O wiele trudniejsze niż się to wydaje. Jeśli Jezus jest Panem i żyje do dzisiaj, to nie mam rzeczywistego powodu, aby nie stać się prawdziwym chrześcijaninem. Muszę być podatny na zmianę. Muszę podejść do mojego śledztwa pokornie, bo co wtedy, gdy sądząc Jezusa, zobaczę palec wskazujący w moim kierunku. Niektórzy ludzie odkryli, że są w stanie wypowiedzieć taką modlitwę: *Boże, jeśli naprawdę jesteś, proszę pomóż mi zbadać osobę Jezusa szczerze, z pokorą i w taki sposób, bym był przygotowany na zmianę, jeżeli trzeba będzie.*' Może Ci to pomóc, ale muszę podkreślić, że robiąc to, sugeruję się tym, że Bóg istnieje. Nie daj się wpędzić w mój podstęp i sam się w podstęp nie wprowadzaj.

1    *Druga Strona*, Kenneth Clark, John Murray.

# ROZDZIAŁ DZIEWIĄTY

## *Czy mogę ufać Ewangeliom?*

W PRZYPADKU PRAWDZIWEGO poszukiwania Boga, musimy uważać, byśmy szukali w odpowiednim miejscu. Niektórzy ludzie powiedzieli mi, że zbliżają się do Boga na plaży czy też podczas wędrówki po lesie. Nie mogę wydać sądu na czyjeś doświadczenie, ale musimy uważać, abyśmy nie pomylili Boga z dobrym samopoczuciem. Może tak być, że nie był to Bóg, którego napotkaliśmy na plaży, lecz uczucie ulgi, jakiej wszyscy doznają, gdy są 'z dala od wszystkiego'.

Wyobraź sobie, że widzisz mężczyznę z głową w piekarniku.

—Co robisz? — pytasz.

—Rozmawiam przez telefon — odpowiada.

Możesz się zastanawiać, czy nie znalazłeś się na scenie filmu z Flipem i Flapem. Wiem, że jest to absurdalne. Lecz często pytając ludzi o ich poszukiwaniu Boga, mam wrażenie, że szukają Go w złych miejscach. Z tego właśnie powodu zachęcam do starannego zbadania osoby Jezusa. Twierdzi On, iż pokazuje nam i mówi nam dokładnie o tym, jaki jest Bóg. Ale gdzie znajdziemy dokładną informację o Jezusie?

**CZY TYLKO W BIBLII?**

Wiemy wystarczająco dużo od niechrześcijańskich historyków, aby przyjąć założenie, iż Jezus z Nazaretu żył w Palestynie w pierwszym wieku. Pliniusz Młodszy,[1] był mianowany przez Cesarza Trojańskiego do zarządzania Abisynią (dzisiejszą Turcją) w roku 112 naszej ery. Wśród jego wielu listów do cesarza, jest jeden interesujący, opisujący chrześcijan i ich zebrania. Jest jasne, że do tej daty chrześcijaństwo rozprzestrzeniło się po prowincji. Tacyt, Rzymianin z tego samego czasu co Pliniusz, mówi w swoich *Kronikach*, że słowo 'chrześcijanin' pochodzi od Chrystusa, który był skazany na śmierć w regionie Tyberiusza, przez rządcę Poncjusza Piłata.[2] Z jego pracy jasno wynika, że nie miał w ogóle współczucia dla chrześcijan, ale wiedział skąd się wywodzili.

Josephus Flavius — historyk żydowski, podaje nam dalsze informacje w swoich dziełach — *Starożytność Żydów* (AD 93) i *Wojny żydowskie* (AD 75). W dziełach tych spotykamy wiele postaci z Nowego Testamentu — Piłata, Annasza, Kajfasza, Heroda i innych. Josephus Flavius opowiada nam o Janie Chrzcicielu, jak również o Jezusie. Mówi nam, że Jezus „robił wspaniałe czyny, był nauczycielem ludzi, którzy otrzymali prawdę z przyjemnością. Zdobył On sobie przychylność wielu Żydów jak również wielu Greków".[3] Mówi on dalej o śmierci Jezusa i zmartwychwstaniu, i o grupie zwanej chrześcijanami, utworzonej z Jego powodu.[4]

W swojej książce — „Czy Nowy Testament jest Historią?" („Is the New Testament History?"), Paul Barnett podaje zachwycającą kolekcję cytatów o chrześcijanach od innych starożytnych historyków, pomimo tego, że oni sami nie byli chrześcijanami.

Możemy ustalić określoną ilość informacji o Jezusie od tych ludzi, lecz nasze informacje o osobie Jezusa pełne szczegółów pochodzą z czterech Ewangelii w Biblii: Mateusza, Marka, Łukasza i Jana.

Słowo o tym, czym jest Biblia. Widzę, że ludzie często reagują emocjonalnie, słysząc o Biblii — czasem negatywnie, czasem pozytywnie, lecz w większości nie wiedzą dlaczego. Niektórzy ludzie reagują mówiąc:

—Jeśli jest w Biblii, to musi być prawdziwe. Inni mają odmienne zdania.

Pismo Święte jest zbiorem sześćdziesięciu sześciu małych ksiąg, które zostały złączone razem w jednym tomie dla wygody chrześcijan. W Starym Testamencie jest trzydzieści dziewięć ksiąg, które były napisane przed narodzeniem Jezusa. Były one napisane przez autorów o różnych pochodzeniach kulturowych, w ciągu setek lat. Nowy Testament zawiera pozostałych dwadzieścia siedem ksiąg, które były napisane w pierwszym wieku. Są one o Jezusie, jak ma być On zrozumiany i jak chrześcijanie powinni się do Niego odnosić. Księgi te nie powinny być godne zaufania, czy też niegodne zaufania tylko dlatego, że 'są w Piśmie Świętym'. Chrześcijanie wierzą, że są one wiarygodne i pomocne im, i dlatego też zostały one złączone w poręczny i łatwo dostępny jeden tom. Chrześcijanie wierzą, że książki te są natchnionym słowem Bożym, lecz nie proszę, abyś i *Ty* w to wierzył w tej chwili.

## CZY MOGĘ NAPRAWDĘ ZAUFAĆ EWANGELIOM?

Narracje o życiu Jezusa (Ewangelie) twierdzą, iż podają nam dokładną informację, jak również interpretacje tej informacji przez pisarzy. W związku z tym, istotnym będzie zadać następujące pytanie: Czy są oni w rzeczywistości wystarczająco godni zaufania jako historycy dla naszej analizy Jezusa, który żył w Palestynie w pierwszym wieku?

## CZY WIERZYSZ WE WSZYSTKO, CO CZYTASZ?

Jesteśmy dziwną miksturą wiarygodności i sceptycyzmu. Jeśli zapytam się ciebie:

—Czy wierzysz wszystkiemu, co czytasz w gazetach?

Prawdopodobnie powiesz, „nie". I ja zgodziłbym się. Jakkolwiek, faktem jest to, że zwykle wierzymy temu nie z innego powodu, jak tylko dlatego, że zostało to wydrukowane w gazecie! Możemy być bardziej sceptyczni, jeżeli chodzi o reklamy telewizyjne. Wierzymy, gdy sprzedawca mówi:

—Nie robiłbym tej reklamy, gdyby nie było to prawdą,

że jest duże prawdopodobieństwo, że kłamie. Jednakże, gdy pojawia się w telewizji dziennikarz starannie ubrany, podający informacje prawdopodobnie nieznanego pochodzenia, ale z wyuczonym, autorytatywnym głosem, prawdopodobnie uważać będziemy, że to, co mówi, to prawda.

Tak w zasadzie jak to, co tworzy dokładny zapis historyczny? Chciałbym zadać następujące pytania. Czy autor był świadkiem naocznym danego wydarzenia? Jeśli nie, to skąd informacje? Czy mamy popierające historie od innych autorów? Czy były one opublikowane za życia świadków naocznych? Jak długo po danym wydarzeniu było to napisane? Czy były one przepisane dokładnie? Czy historyk ma w tym swój cel, czy jest uprzedzony? Czy inne jego wypowiedzi są prawdziwe?

Gdy na taki test wystawiam Ewangelie Mateusza, Marka, Łukasza i Jana, jestem usatysfakcjonowany, że podają nam one niezawodną historię Jezusa.

## CZY PISARZE EWANGELII BYLI NAOCZNYMI ŚWIADKAMI?

Apostołowie byli z Jezusem podczas całego jego duszpasterstwa. Ewangelie Mateusza i Jana są reportażem naocznych świadków. Jest stara, lecz niudowodniona teza, że Ewangelia Marka jest rzeczywiście reportażem Piotra, zapisanym dla niego przez Marka; Łukasz mówi nam, iż on sam nie jest świadkiem naocznym, lecz mówi nam skąd zdobył swoje informacje.

Dla każdego czytelnika czterech Ewangelii jest jasne, że prace Mateusza, Marka i Łukasza mają w sobie cechy podobieństwa, pomimo że każda z nich ma odrębny styl i cel. Nadal toczy się debata pomiędzy naukowcami Nowego Testamentu o tym, czy przepisali oni od siebie, czy też mieli dostęp do wcześniejszych dokumentów, które są już zagubione.

Ewangelia Jana natomiast jest zupełnie autonomiczna. Poza śmiercią i zmartwychwstaniem Jezusa, prawie nie powtarza on żadnych innych historii z pozostałych Ewangelii. Wydaje się, jakby nie miał dostępu do innych Ewangelii w czasie, kiedy pisał swoją. Znaczy to, iż mamy, co najmniej dwie całkowicie niezależne od siebie historie, co stanowi bardzo wartościowy dowód. Często starożytny dokument jest tylko jeden, bez żadnych innych, do których można by było go porównać. Dobrym ćwiczeniem byłoby przeczytać Ewangelię Łukasza i później Jana. Po czym zadaj sobie pytanie: „czy Jezus przedstawiony w pierwszej jest taki sam jak w drugiej?" Jestem przekonany, że tak jest. Dało mi to dużo ufności w Ewangelie jako oryginalny zapis świadków naocznych.

Czytając Ewangelie Mateusza i Jana, zobaczysz elementy naocznego świadectwa w nich. Ewangelia Mateusza 28:17 jest dobrym przykładem. „A gdy Go ujrzeli, oddali Mu pokłon. Niektórzy jednak wątpili."

Ten fragment informacji, „niektórzy jednak wątpili" jest interesującym dodatkiem. Nie wpływa on na historię ani na jej 'cel'. Tak naprawdę to osłabia sprawę zmartwychwstania. Więc, dlaczego Mateusz to przytacza? Dlatego, że on to po prostu pamiętał! Zauważ element naocznego świadectwa w Ewangelii Jana 6:10. Jest to opis nakarmienia pięciu tysięcy ludzi. „A w miejscu tym było wiele trawy. Usiedli więc mężczyźni, a liczba ich dochodziła do pięciu tysięcy."

Bez wątpienia pamiętałbyś połacie zieleni podczas przyjemnego wiosennego pikniku, a nawet wspomniał to. Lecz, czy chciałoby ci się mówić o tym, gdyby Cię tam nie było?

Kilka lat temu, dobrze znany autor i pisarz scenariuszy telewizyjnych, Tony Morphett, stał się chrześcijaninem. Wcześniej był ateistą z wyboru. Wiele okoliczności wpłynęło na to, że przeczytał Nowy Testament. Powiedział, iż był zachwycony Ewangeliami: „spędziłem całe moje życie zawodowe pisząc scenariusze, które były albo dokumentalne, albo fikcyjne. Kiedy natknąłem się na Ewangelie, rozpoznałem, iż nie były one fikcją. Były one udokumentowane."[5]

Paul Barnett, wykładowca Nowego Testamentu na Uniwersytecie Macquarie i Uniwersytecie Sydnejskim podaje:

„Mając wiele odrębnych elementów, Ewangelie w ogólnym wyrażeniu są uznanymi przykładami historycznych dokumentów ze swojego okresu. Traktowanie ich jako zwykłych religijnych czy też teologicznych prac jest niesłuszne i nieprawdziwe. Są one też w swoim charakterze historycznie bezbłędne. Jako historyczne źródło tego okresu, są one zarówno wartościowe dla ogólnej historii jak dzieła Josephusa Flaviusa. Oprócz tego, że w przeciwieństwie do Josephusa Flaviusa, koncentrują się one na jednej osobie i na krótkim odcinku czasu."

Łukasz natomiast, mówi nam, że nie jest świadkiem naocznym. Wprowadzenie do jego Ewangelii ukazuje historyczną metodę:

> „Wielu już starało się ułożyć opowiadanie o zdarzeniach, które się dokonały pośród nas, tak jak nam je przekazali ci, którzy od początku byli naocznymi świadkami i sługami słowa. Postanowiłem więc i ja zbadać dokładnie wszystko od pierwszych chwil i opisać co po kolei, dostojny Teofilu, abyś się mógł przekonać o całkowitej pewności nauk, których udzielono." (Ewangelia według Św. Łukasza 1:1–4).

Jest to interesujące wprowadzenie napisane do jego patrona — Teofila, o którym nic nie wiemy. Ale wartość tego leży w wielu miejscach. Wiemy, że w czasie pisania tej Ewangelii, było wiele dostępnych reportaży o słowach i czynach Jezusa. Zapisy te twierdziły, że pochodzą od świadków naocznych. Łukasz troszczy się, aby jego patron znał „pewność" tego, co on słyszał. Chce, aby był on pewien. Najbardziej praktycznym sposobem do zrobienia tego jest to, aby on sam powrócił do samego początku. Cofnął się do „świadków naocznych" tak, aby „od samego początku" mógł zapisać „systematyczny reportaż". Jest to udokumentowanym zamiarem autora. Jego metoda historyczna jest logiczna i mówi nam o celu tej książki.

Może Cię zainteresować to, że niektóre z tych innych reportaży przetrwały. Wczesny Kościół odrzucił je jako dokładny zapis, ponieważ nie można było ustalić, kim byli autorzy, albo zostały one uznane za fałszerstwo.

### LECZ CZY NIE WSZYSCY BYLI UPRZEDZENI?
Wielu już powiedziało mi, że wszyscy autorzy Ewangelii byli

przekonanymi chrześcijanami, że musieli być uprzedzeni w swoim nastawieniu. Jest to częściowo prawda. Byli całkowicie przekonani, iż Jezus jest jedynym Synem Bożym. Jednakże, wcześniejszym pytaniem jest — „co sprawiło, że byli przekonani?" Jan mówi nam, że przekonał się, co do Jezusa i zapisał powody, abyśmy i my byli przekonani (Ewangelia według Św. Jana 20:31).

Autorzy Ewangelii, w przeciwieństwie do redakcyjnych pisarzy, prezentują swoją sprawę, osobisty interes i przekonanie na samym początku, a także zapraszają nas do osądzenia ich wniosków. Czasem opisują wydarzenia z życia Jezusa, czasem piszą redakcyjne komentarze. Bardzo łatwo jest dostrzec różnicę. Nie starają się tego ukryć. Większość ludzi nie trudzi się pisaniem książki, chyba że są naprawdę zainteresowani tematyką. Zainteresowanie tematem prowadzi do zwrócenia większej uwagi na szczegóły.

Jedna z cech charakteru, jaką pisarze Ewangelii przypisują Jezusowi to, że był On człowiekiem, który mówił prawdę i zachęcał innych do tego samego. Jezus ogłosił się wcieleniem prawdy. Uczył swoich apostołów miłości i prawdy.

Być apostołem Jezusa znaczy robić to, co On. Ich zainteresowanie Jezusem prawdobnie przyczyniło się do zwrócenia uwagi raczej na fakty niż fantazje.

Nie ma wątpliwości, że byli przekonani i całkowicie zaabsorbowani przez swojego bohatera. Nie jest to tym samym jak twierdzenie, że musieli przesadzać, bo byli przekonani o autentyczności zdarzeń. Gdyby tak było, znaczyłoby to, że nie bylibyśmy w stanie otrzymać dokładnej informacji, chyba, że od ludzi niezainteresowanych. Tak nie jest! Ludzie niezainteresowani często dają nam niedokładny reportaż ze względu na ich brak zainteresowania, który wpływa na niedokładność.

**KIEDY BYŁY ONE OPUBLIKOWANE?**

Przypuśćmy, że braliśmy udział w dyskusji, i pod koniec wieczoru każdy z nas napisał sprawozdanie z jej przebiegu. Z pewnością mielibyśmy inne wersje, ponieważ niektórzy pamiętaliby incydenty, które inni przeoczyli, czy też o nich zapomnieli. Gdybyśmy spotkali się następnego wieczoru i przeczytali wszystko razem, bylibyśmy w stanie rozwinąć je i poprawić. Ktoś powiedziałby:

—Nie, nie było to całkowicie tak, prawda?,

czy też:

—Czy Tom nie powiedział…,

i tak toczyłby się cały proces.

Przypuśćmy natomiast, że zapieczętowalibyśmy te sprawozdania i przechowalibyśmy je w bezpiecznym miejscu aż do czasu, kiedy wszyscy umrzemy. Gdyby wtedy wszystkie były otwarte i przeczytane, byłoby prawdopodobne, że otrzymalibyśmy dokładny opis tamtego wieczoru, gdyby wszystkie wersje miały podobną treść. Mniejsza szansa byłaby jednak, gdyby zdarzyły się duże różnice w sprawozdaniach. Właściwie nie znalibyśmy prawdy. Cała historia jest taka. Potrzebujemy naocznych świadków, aby napisali (lub opowiedzieli) ich własne wersje, ale również potrzeba, aby ich wersje były w obiegu za życia innych naocznych świadków.

W przypadku Ewangelii, kiedy zadajemy te pytania, możemy być usatysfakcjonowani. Uczeni w Nowym Testamencie są przekonani, iż wszystkie cztery Ewangelie były napisane przed końcem pierwszego wieku naszej ery. Niektórzy są zdania, iż były one dostępne trzydzieści lat po śmierci Jezusa, za życia naocznych świadków. Ciekawi mnie to, że kilka lat temu, trzy czwarte wieku po wydarzeniu, w Australii żyło nadal wystarczająco dużo weteranów wojny Burskiej, aby obalić niedokładną historię tej wojny. Wspomnienia obejmują długi czas.

Kiedy po raz pierwszy zostałem pastorem, pracowałem na wsi, na północy Nowej Południowej Walii. Spotkałem tam panią w podeszłym wieku, która opowiedziała mi, jak przyjechała tam osiemset kilometrów z Sydney, ze swoją rodziną, na dwukołowym wózku z wołem kiedy była małą dziewczynką i jak jej ojciec zapoczątkował osadę, w której ona wtedy zamieszkała. Odkryła wspomnienia z okresu około sześćdziesięciu lat. Była starszą kobietą i jestem pewien, że historia ta była opowiedziana już wiele, wiele razy.

Kilka lat później spotkałem pana, też już starszego, który, jak się dowiedziałem, przyjechał z tą samą grupą, ale był z innej rodziny. Nie miałem wątpliwości, że słuchałem tej *samej* historii od innego naocznego świadka. Moja własna matka w podeszłym wieku w kółko powtarzała mi historie ze swojego dzieciństwa. Nigdy się nie różniły. W końcu znaliśmy je tak dobrze, że mogliśmy jej pomóc, kiedy zapomniała, na czym skończyła.

Niektórzy ludzie mają obiekcje do faktu, że trzydzieści lat pomiędzy wydarzeniami z życia Jezusa i napisaniem Ewangelii jest naprawdę długim czasem. Czy nie jest to prawdopodobne, że ludzie zapomnieliby, co naprawdę się wydarzyło? Czy jest prawdopodobne, że niektóre drobne szczegóły mogły być zapomniane? Nie były zapomniane ważne fakty wydarzeń z co najmniej dwóch powodów:

1.    ponieważ były regularnie opowiadane,
2.    pozostawiały niezatarte wspomnienia.

*1. Były regularnie opowiadane*

Nie było tak, że pisarze usiedli jednego dnia, trzydzieści lat po wydarzeniach i je zapisali. Opowiadali oni historię Jezusa od momentu, kiedy wrócił do nieba. Księga Nowego Testamentu, zwana Dziejami Apostolskimi, podaje nam zapis tego. Nie byli oni świadomi, że byli 'pisarzami' historii. Byli przekonani, że zmartwychwstały Jezus był zdolny do przyniesienia mężczyzn i kobiet w związek z Bogiem i pragnęli, aby ludzie cieszyli się z nowego życia.

Bez względu na ciągłe powtarzanie wydarzeń z życia Jezusa, nadal są interesujące różnice pomiędzy wszystkimi czterema Ewangeliami. Pomyślałbym, iż przez trzydzieści lat powtarzania, wszystkie różnice byłyby sprostowane. Jednak autorzy nie zadali sobie trudu, aby zracjonalizować ich wersje. Zawierają one wystarczająco dużo różnic w szczegółach, podczas gdy potwierdzają podstawowe fakty. Pokazują one, iż jeden naoczny świadek pamięta to, czego drugi nie zauważył, czy też uważał za oderwane od tematu. Takie różnice tekstu mówią o autentyczności bardziej niż jej przeciwieństwie. Są one prawdziwie wybitnymi dokumentami.

*2. Pozostawiły niezatarte wspomnienia*

Trzydzieści lat wydaje się wiekiem, kiedy masz dwadzieścia lat! Jest o wiele krótsze, kiedy masz pięćdziesiąt lat. Wiele znaczących szczegółów można dokładnie zapamiętać przez trzydzieści lat. Zapytaj jakiejkolwiek kobiety, zamężnej ponad trzydzieści lat, aby Ci powiedziała o dniu jej ślubu, czy też narodzinach jej pierwszego dziecka. Nie zapomniałaby tego. Niektóre szczegóły mogłyby być zatarte, ale najważniejsze fakty się pamięta.

Słowa i czyny Jezusa pozostawiają niezatarte wspomnienia.

Gdybyś widział na własne oczy Łazarza powracającego do życia (Ewangelia według Św. Jana 11), czy byłoby to prawdopodobne, że zapomniałbyś o tym? Gdybyśmy byli gośćmi na weselu w Kanie w Galilei i widzieli wodę zmieniającą się w wino (Ewangelia według Św. Jana 2), nie zapomnielibyśmy tego.

To, że autorzy nie utrwalili od razu Ewangelii na piśmie jest dla nas bardziej korzystne, niż gdyby była pisana na bieżąco. Naprawdę pozwolili, aby wystarczająco dużo czasu upłynęło, aby mogli pomyśleć, co naprawdę się zdarzyło. Przez ten okres wyjaśniło się wiele informacji. Nie ma wątpliwości, że teraz możemy napisać lepszą historię drugiej wojny światowej, niż tamtejszy zapis jakiejś kryzysowej sytuacji świata. Jesteśmy wystarczająco daleko, aby przemyśleć to i aby wszystkie informacje się wyjaśniły. Jesteśmy za blisko do innej, aby dokładnie wiedzieć, co się dzieje.

## CZY BYŁY ONE ZMIENIONE?

Jednym pytaniem jest to, czy Ewangelie były dokładne, kiedy powstały. Innym jest być pewnym tego, że te, które mamy dziś nie były zmienione w ciągu ostatnich dwóch tysięcy lat, zanim trafiły w nasze ręce.

Ewangelie oryginalnie napisane były po grecku. Nie mamy oryginałów Ewangelii napisanych przez Mateusza, Marka, Łukasza i Jana. Rękopisy — pergaminy zostały zagubione lub zniszczone. Zostały z nich zrobione ręcznie napisane kopie, aby zwiększyć dostępność i obieg Ewangelii i wymienić je, podczas gdy te były przepisywane. Gdybyśmy mieli oryginały, łatwo byłoby odpowiedzieć na nasze pytania. Wszystko to, co musielibyśmy zrobić, to przetłumaczyć je i porównać z nowoczesnym 'powierzonym w nasze ręce' tłumaczeniem.

Jakiekolwiek różnice byłyby od razu widoczne, ale tak łatwe to nie jest.

Za najstarszą skompletowaną Ewangelię, jaka jest dostępna, uważana jest przepisana około 200–250 AD Ewangelia nazwana *Chester Beatty Biblical Papyri*. Jeszcze wcześniejsza jest część Ewangelii Jana (Ewangelia według Św. Jana 18:31–33, 370) z około 130 AD, w tej chwili przechowywana w John Rylands Library Manchester.

Istnieje dzisiaj około pięciu tysięcy starożytnych rękopisów Nowego Testamentu. Najlepsze i najważniejsze sięgają wstecz około 350 AD. W porównaniu z innymi pracami ze starożytności, uczeni Nowego Testamentu mają szczęście. *Gallicka Wojna* Cezara napisana około 58–50 p.n.e. ma tylko dziesięć dostępnych kopii, z których najstarsza została opracowana jakieś dziewięćset lat po oryginale.

Przez ostatnie pięćdziesiąt lat odbyło się wiele badań nad dokumentami Nowego Testamentu. W tej książce nie ma wystarczająco miejsca, aby wdawać się w szczegóły użytych metod, ale dociekania potwierdziły, że nie ma zasadniczych zmian w przekazie tekstów i że Ewangelie dostępne nam dzisiaj są dokładne.

Jeśli chcesz przeczytać więcej na temat historycznej pewności Ewangelii, jest dużo dostępnych materiałów. Sugeruję *Is The New Testament History?* napisane przez Paula Barnetta. Zawiera również obszerną listę prac do czytania na ten temat.

## DROGA NAPRZÓD

Kiedy patrzymy na historię Ewangelii, możemy być pewni, iż mamy dokładny obraz Jezusa, który żył, pracował, umarł i powrócił do życia w Palestynie w pierwszym wieku naszej ery.

Bóg, który wybrał to, że ukarze się nam poprzez tę metodę był wystarczająco łaskawy dla nas, aby zachować je do przeczytania dzisiaj.

Twoja droga naprzód może przebiegać w dwóch kierunkach. Pierwsza, jeśli nie jesteś pewien, czy Jezus jest tak na prawdę Synem Bożym, to uważam, że powinieneś uciec się do Ewangelii i przeczytać ją. Ewangelia Łukasza jest najprostsza do czytania, ale Marka jest najkrótsza, jeśli chodzi o długość. Dlaczego nie przeczytać wszystkich czterech? Kiedy będziesz czytał, zadaj sobie pytanie, czy ta osoba — Jezus jest mentalnie obłąkana? Czy jest On oszustem? Czy też tym, za kogo się podaje, jedynym Synem Bożym?

Druga, jeżeli teraz jesteś przekonany, że Jezus jest Synem Bożym, to pozwól, abym Cię zachęcił do przejścia do części trzeciej tej książki i kontynuacji czytania, ponieważ chcę Ci pokazać, jak ważne jest, aby nie zwlekać, a działać.

1   Pliniusz, *Epistles* 10.96.
2   Tacyt, *Annals* 15.44.
3   Josephus Flavius, *Antiquities* 18.33.
4   Zobacz *Runaway World* Michael Green, IVP
5   Zobacz *A Hole in My Ceiling*, Tony Morphett, Hodder and Stoughton (Aust)

*Część Trzecia*

# Jaka jest alternatywa?

# ROZDZIAŁ DZIESIĄTY

## *Po co taki pośpiech?*

GDYBYM CHCIAŁ ZAOFEROWAĆ CI moją przyjaźń, myślę, że masz naprawdę dwa wyjścia. Możesz ją odrzucić, albo przyjąć.

Jak dotychczas, mówiłem o prawdziwych korzyściach, jakie otrzymują ci, którzy weszli w związek z Bogiem przez Chrystusa. Jakkolwiek, Biblia uznaje prawdopodobieństwo przeciwnej reakcji — nieustającego odrzucenia. Jest to duży problem i powinniśmy poznać jego skutki. Niektórzy ludzie krytykują mnie, iż używam odstraszających metod, które mają na celu przestraszenie innego człowieka. Jednak to konsekwencje nieustannego buntu wobec Boga są poważne i straszne.

Wzdłuż brzegu jednej z naszych zatok, rada lokalna wystawiła znaki ukazujące dużego, czarnego rekina i ostrzeżenia napisane w różnych językach, mówiące, że niebezpiecznie jest pływać w nieogrodzonych częściach zatoki. Byłoby możliwe oskarżenie rady o używanie odstraszających metod. Możliwe byłoby uznać środki zapobiegawcze rady jako ograniczenie naszej wolności cywilnej. Nikt jednak o tym by nie pomyślał, gdyż niebezpieczeństwo jest prawdziwe. Tylko w jeden sposób można osądzić ich czyny — dobrą jest służba dla ludzi, ostrzegająca ich o strasznym niebezpieczeństwie. Aczkolwiek zauważyłem, iż nie powstrzymuje to niektórych przed pływaniem w tych miejscach. Chyba nie można wszystkich przekonać.

W podobny sposób Biblia ostrzega nas o powadze niebezpieczeństwa, jeśli będziemy kontynuować nasze odrzucenie darmowej oferty Bożego przebaczenia i przyjaźni. To, że Bóg nas ostrzega jest doprawdy troskliwe i miłosierne z Jego strony. Więc pamiętając to, spójrzmy jakie są konsekwencje i spytajmy się, co się stanie z tymi, którzy odrzucą Ewangelię.

Zwlekałem jak mogłem z użyciem słowa „piekło", gdyż wywołuje ono dziwny wizerunek w ludzkich myślach. Często obraz ten przedstawia osobę, która wygląda, jak gdyby była w drodze na bal przebierańców, facet z dużymi widłami w ręku, kłujący ludzi w tyłki, podczas gdy wokół nich płonie ogień. Jest to trochę niepoważne dla umysłu dwudziestego wieku.

Razem z kolegą wspiąłem się na 463 schody wewnątrz kopuły katedry florenckiej we Włoszech. Cały sufit pokryty jest freskami Visariego, przedstawiającymi okropność sądu ostatecznego i piekła. Wielcy, różowi ludzie są ścigani przez smoki i chochliki. Muszę się przyznać, iż wydało mi się to osobliwe i chociaż moi średniowieczni przodkowie mogli się trząść ze strachu, mnie to tylko rozśmieszyło.

Około dwa tygodnie później widziałem operę Mozarta — „Don Giovanni", gdzie w ostatnim akcie Don Giovanni idzie do piekła. Całe przedstawienie było zmyślone, lecz uczucie, jakie czułem, nie było strachem. Byłem w stanie bić brawo, kiedy kurtyna opadła.

Pewnego dnia dyskutowałem z bardzo starym człowiekiem o

przyszłości i zeszliśmy na temat nieba i piekła. Kiedy zapytał mnie, czy sądzę, że on pójdzie do piekła, musiałem mu powiedzieć, że z pewnością, jeżeli w dalszym ciągu nie uzyskał przebaczenia. Roześmiał się i dał mi bardzo popularną odpowiedź: „będzie tam bardzo dużo moich znajomych." Wydaje mi się, że jego wyobrażenie piekła było niekończącą się knajpą i kacem.

Spójrzmy na to, co mówi Biblia.

Jezus w swoich naukach często odnosi się do sądu i piekła (zobacz Ewangelia według Św. Łukasza 13:5; Ewangelia według Św. Marka 9:43). Ostrzega nas, abyśmy byli gotowi na Sąd Ostateczny (Ewangelia według Św. Łukasza 21:5-36). Najbardziej pomocnym opisem Sądu jest opis w Drugim Liście do Tesaloniczan, który napisany był przez Pawła Apostoła. Mały kościół w Tesalonice był mocno prześladowany. Paweł pisał, aby im powiedzieć, że dniem, w którym prawdziwa sprawiedliwość nadejdzie, nie jest teraźniejszy, ale Bóg w końcu ich obroni.

„Są one zapowiedzią sprawiedliwego sądu Boga; celem jego jest uznanie was za godnych królestwa Bożego, za którego też cierpicie. Bo przecież jest rzeczą słuszną u Boga odpłacić uciskiem tym, którzy was uciskają. A wam, uciśnionym, dać ulgę z nami, gdy z nieba objawi się Pan Jezus z aniołami swojej potęgi w płomienistym ogniu, wymierzając karę tym, którzy Boga nie uznają i nie są posłuszni Ewangelii Pana naszego Jezusa. Jako karę poniosą oni wieczną zagładę [z dala] od oblicza Pańskiego i od potężnego majestatu Jego w owym dniu, kiedy przyjdzie, aby być uwielbionym w Świętych Swoich i okazać się godnym podziwu dla wszystkich, którzy

uwierzyli, bo wyście dali wiarę świadectwu naszemu."
(Drugi List do Tesaloniczan 1:5–10).

Jest to całkowicie kompletny opis.

### PODSTAWA SĄDU

Widzieliśmy już, iż Jezus będzie przedstawicielem dnia Sądu, jako że Bóg oddał w Jego ręce całą władzę (Ewangelia według Św. Mateusza 28:18, Ewangelia według Św. Jana 5:24–30) i wiemy, dlaczego dzień Sądu jest opóźniony. Jednak nie możemy udawać, że się to nie zdarzy. Powiedziane nam jest na jakiej postawie odbędzie się sąd, abyśmy byli przygotowani. „Ukarze On tych, którzy nie znają Boga i nie są posłuszni Ewangelii Pana naszego Jezusa."

Jako nauczyciel i duchowny wielokrotnie organizowałem i przechodziłem przez więcej egzaminów niż mogę spamiętać. Wiem, że gdy ktoś chce zdać egzamin, nie ma nic bardziej pomocnego niż znać treść pytań.

Bóg powiedział nam, jakie pytania będą nam zadane. Przypuśćmy, że dzisiaj jest ten dzień i znajduję się w obecności Pana Jezusa, Sędziego całego świata. Pytania dla mnie są takie same jak dla każdego:

—Johnie Chapman, czy znałeś Boga? Czy byłeś posłuszny Ewangelii Pana Jezusa Chrystusa?

Wygląda to na dwa pytania, ale w rzeczywistości widzę tylko jedno. Zostałem zapytany, czy znam Boga osobiście w przeciwieństwie do *wiedzy o* Nim, a jedynym sposobem na to jest reakcja posłuszeństwa w stosunku do faktu, iż Jezus jest Panem i umarł za mnie. W innych słowach brzmi to:

—Czy jesteś naprawdę moim przyjacielem, czy też buntownikiem?

Chcę też dodać, jako stary egzaminator od dawnego czasu, wiem, że nikt nie zaliczy, kto źle przeczyta pytanie albo da odpowiedź na pytanie jakie nie było zadane.

Dlatego też samo dobre życie nie wystarcza. Byłoby dziwne, jeśli Jezus zapytałby się mnie:

—Johnie Chapman, czy znałeś Boga? Czy byłeś posłuszny Ewangelii?

Gdybym powiedział:

—Doprawdy prowadziłem przyzwoite życie. Nikogo nie skrzywdziłem. Byłem dobrym sąsiadem.

—Wszystko to jest bardzo interesujące, Johnie Chapman, oderwane od tematu, lecz interesujące, więc pozwól, że cię spytam jeszcze raz. Czy znałeś Boga? Czy byłeś posłuszny Ewangelii?

Będąc chrześcijaninem, nigdy nie miałem kłopotu z trzymaniem się zasad. Trzymanie się zasad jest jednak bezużyteczne. Czasem, kiedy uczyłem, niektóre dzieci, które nigdy nie złamały regulaminu (i dla tego nigdy nie mogły być ukarane), dały mi do zrozumienia, że nie były moimi przyjaciółmi ani nie chciały mnie jako przyjaciela. Trzymały się zasad, lecz ich nastawienie było buntownicze.

Czytałem o jednej parze. Byli ponad dwadzieścia lat po ślubie. Ona mu gotowała, prała, prasowała, reperowała jego ubrania, i utrzymywała dom w idealnej czystości. On ciężko pracował i szczodrze utrzymywał ich obydwoje. Jednak przez ostatnie dziesięć lat nie rozmawiali. Pomyślałbym, że nie jest to bardzo zadowalający związek. Trzymać się zasad dla samych zasad jest ciężkie i nieużyteczne, i nie można tego porównać z radością zadowalania tego, kogo się kocha. Obowiązkowe utrzymywanie prawa nie może być porównywane z posłuszeństwem w miłości, którego rezultatem jest prawdziwe zobowiązanie. Tak więc prawdziwym pytaniem nie jest: „czy prowadziłeś dobre życie?" lecz „czy znałeś Boga i byłeś posłuszny Ewangelii?" Jest to wielką różnicą.

## SAMOTNE ŻYCIE — SAMOTNA WIECZNOŚĆ

Rodzaj kary, który jest opisany w Drugim Liście do Tesaloniczan 1:5–10, to ostateczna samotność. Chochliki i smoki nie wzbudzają we mnie strachu, ale samotności się boję. Jeżeli Ciebie to nie przestrasza, to znaczy, że prawdopodobnie jej nie doświadczyłeś. Poczekaj! Paweł mówi:

„Jako karę poniosą oni wieczną zagładę [z dala] od oblicza Pańskiego."

To, co się dzieje to kara, która pasuje do wykroczenia. Jeśli nadal mówię Bogu:

—Trzymaj się z daleka od mojego życia,

To w końcu Bóg powie:

—Całkowicie zejdę ci z drogi.

Wyrażenie to przetłumaczone jako 'wieczna zagłada' nie ma łatwego odpowiednika w języku angielskim. Zawiera ono w sobie pojęcie utraty wszystkiego, co jest wartościowe, jest to całkowita, nieodwracalna strata. Któregoś dnia, kiedy będziesz miał czas, zrób listę wszystkiego, co ma dla Ciebie znaczenie w życiu, co ma dla Ciebie prawdziwą wartość. Wiedz na pewno, że żadnej z tych rzeczy nie będzie w piekle. Dlaczego? Z punktu widzenia Biblii, wszystko to, co jest dobre pochodzi od Boga (List Św. Jakuba Apostoła 1:17); miłość i troskliwość są darami od Boga; przyjaźń i zabawa pochodzą od Boga. On to ofiarował ludziom na tym świecie bez różnicy czy będą Go uznawać, czy nie. Jednak, gdy odrzucamy Boga, wszystko to zostaje z Nim. Być opuszczonym przez Boga jest skrajnie ponure.

Staruszek, który myśli, że jego koledzy będą z nim w piekle ma z jednej strony rację i również jest w błędzie. Ma rację uważając, że oni tam będą (prawdopodobnie), ale myli się myśląc, że będzie tam koleżeństwo czy też przyjaźń. Przyjaźń istnieje, ponieważ Bóg nie opuścił tego świata, który stworzył, ani też nie przestał się nim interesować. Jeśli nadal powiem Bogu:

—Zostaw mnie samego.

On mi odpowie:

—W porządku, zostawię cię *samego*.

Samotność jest całą istotą kary.

Piekło można lepiej opisać jako oglądanie dziennika w telewizji. Każdego wieczoru, prawie w każdym kraju na świecie, pokazuje się nam pożary, rabunek banku, wojny, napaści, itd. Jednak bez względu na to, jak ponura jest sytuacja, ktoś chce ją polepszyć. Strażacy walczą z ogniem, policja usiłuje złapać złodzieja, ktoś prowadzi pertraktacje, aby przywrócić pokój na świecie, pomoc jest dostępna ofiarom napadu. Ludzie ci mogą nie być w stanie wszystkiego od razu rozwiązać, ale chociaż są i reprezentują dobro sprzeciwiające się złu.

Wyobraź sobie teraz egzystencję, gdzie każda siła opierająca się złu i każda pomocna agencja są zniesione, pozostało tylko zło do panowania i masz biblijny obraz piekła. Rabunki, wzniecanie pożarów, szerząca się przemoc, wszystko to bez niczyjej pomocy. Ciągła wojna. Po prostu całkowita, kompletna samotność i pustka. Nie ma co się dziwić, że Biblia nas ostrzega przed tym i nawołuje nas do przedsięwzięcia środków, aby tego uniknąć.

My nie możemy w pełni zrozumieć całego zagadnienia i naprawdę staramy się opisać coś, co jest nie do opisania.

„Jeszcze nigdy nie czuł takiej samotności. — Gdzie jest moja żona? — wyjąkał. Tylko to okropne echo:

—Nie tutaj. Twojej żony tutaj nie ma. Chciał to wszystko zobaczyć, ale ciemność była zbyt gęsta. Chwilowo wydawało mu się, że widzi zamgloną sylwetkę, czy też słyszy cierpiące jęki.

Pamiętał ból — ten ostatni moment terroru — ale było to nic w porównaniu do uczuć, jakie teraz wkradały się w jego świadomość. Ponownie krzyknął:

—Gdzie jest moja żona?

—Twojej żony tu nie ma.

—Gdzie są moje dzieci?

—Twoich dzieci nie ma tutaj.

Zaczął szukać po omacku, ale wszystko było w ciemności.

—Mój Boże! — zawył jeszcze raz — pozwól mi czuć obecność chociaż jednego człowieka! „Mój Boże" — nie wymawiał tych słów już od dawnego czasu. „Mój Boże" — a teraz wydają się one takie puste.

Ogarnął go strach. Poczuł się, jak gdyby był małym dzieckiem przestraszonym przez głęboką ciemność. Nigdzie nie ma świeczek. Nigdzie nie ma miłości. Nigdzie nie słychać głosu.

—Gdzie jest moja żona? — wrzasnął.

—Twojej żony tu nie ma.

—Gdzie są moje dzieci — błagał.

—Twoich dzieci tutaj nie ma.

Po tym przyszła mu na myśl największa obawa. Bał się zapytać, ale wiedział, że będzie musiał. Całe jego ciało trzęsło się, gdy zacisnął usta i zapłakał w zamgloną noc.

— Gdzie... och, gdzie jest Bóg!

Głębia wszystkich ciemności przeszyła jego duszę na wieczność. Usłyszał to ohydne echo szepcące to najstraszniejsze ze wszystkich sądów:

—Boga tutaj nie ma!"[1]

Jak mówiłem poprzednio, niektórzy ludzie mają obiekcje, jeżeli chodzi o sąd i piekło. Pytaniem jest: „Jak może Bóg miłości to zrobić?" Niestety, nie może być inaczej.

Po pierwsze, ponieważ Bóg traktuje nas i Swój świat na poważnie. Kiedy odwiedzałem przyjaciół, zapytałem syna gospodarza, jak mu idzie w szkole. Powiedział mi, że nie lubi szkoły i że jego nauczycielka nie była nim zainteresowana. Od razu zacząłem jej bronić.

Jestem pewien, że musisz się mylić — powiedziałem — Jestem pewien, że się tobą interesuje.

Nie interesuje się — zaprotestował — nigdy nie sprawdza mojej pracy.

To, że jego praca nigdy nie była sprawdzana, wskazywało mu na to, że ją wcale nie obchodził. Miłość i kara nie są przeciwieństwem. Nienawiść jest odwrotnością miłości. Niemożliwe jest, aby razem egzystowały, lecz nie są sprzeczne.

Sentymentalność jest często tak leniwa, że się prawie nie porusza. Po prostu nic nie robi. Natomiast prawdziwa miłość zawsze będzie szukała prawdy i będzie się złościć, jeżeli coś jest nie w porządku. Tylko całkowita opieszałość i nieczułość mogą doprowadzić Boga do powiedzenia „Zostaw to! To nie ma znaczenia!"

Po drugie, Bóg musi działać osądzając, inaczej cały Jego plan wyratowania ludzi będzie jeszcze raz kompletnie zaprzepaszczony. Całe przedstawienie rozpadło się, a ludzkość odwróciła się od Boga i postawiła się na pozycji przeciwnika. Aby się uporać z tą sytuacją, Boży plan był taki, aby zesłać Swojego Syna, Jezusa, na świat jako wstawienniczego pośrednika. On tego dokonał poprzez Swoją śmierć za grzechy.

Gdyby natomiast wszyscy mieli pozwolenie na miejsce w nowym świecie przygotowanym przez Boga, bez względu na to, czy byli jego sprzymierzeńcami czy buntownikami, to całe to przedstawienie stałoby się dokładnie takie samo jak poprzednie i Jezus umarłby na darmo.

Być w prawdziwym związku z Jezusem, autorem życia, to znaczy mieć życie. Odmówić przyjaźni Jezusa jest śmiercią, która separuje nas od Niego. Nie jest możliwe mieć korzyści z przyjaźni bez zobowiązań.

### TRZY POWODY NA NIEZWLEKANIE

Od czasu do czasu rozmawiam z ludźmi, którzy wierzą, że Jezus jest Synem Boga i uważają, iż wcześniej czy później prawdopodobnie staną się chrześcijanami, ale odkładają to na później. Nie zastanawiają się tak naprawdę nad tym, że „później" jest słowem, jakie mają na myśli.

Oto trzy powody, z jakich nie powinieneś zwlekać ze swoją odpowiedzią Bogu.

1. *Krótkość życia*. Nikt nie powinien zwlekać, bo nikt nie wie,

jak wiele życia nam zostało. Niepewność życia jest naprawdę wielka. Już mówiłem o dziewczynie w naszym kościele, chorej na białaczkę. Rok temu nikomu by to nie przyszło do głowy. W porannej gazecie czytam o ludziach, którzy tracą życie każdego dnia na drogach. Nikt z nich nie spodziewał się tego, że zginie. Nie chcę stwarzać atmosfery pogrzebowej, ale staram się być realistą. Nikt nie myśli, że jest następny w kolejce do śmierci, ale jest to prawdopodobne. Biblia nawołuje każdego z nas:

„Dziś, jeśli głos Jego usłyszycie, nie zatwardzajcie serc waszych!" (List do Hebrajczyków 4:7). Teraz jest czas na działanie, nie później.

2. *Ćwiczenia prowadzą do doskonałości.* Za każdym razem odkładając jakiekolwiek działanie w stosunku do zawarcia przyjaźni z Bogiem, nabieramy wprawy w samym odkładaniu. Jest to tylko kwestią praktyki. Im regularniej to robimy, tym lepiej nam to idzie. Prawdopodobne jest, że nawet teraz, czytając tę książkę, powiedziałeś:

—Tak, ja już to słyszałem.

Więc chcę Cię zapytać:

—Co do tej pory zrobiłeś?

Mój kolega, duchowny, opowiedział mi o parafianie, którego dosyć regularnie odwiedzał. Często prosił on tego człowieka, aby rozważył oddanie swojego życia Chrystusowi, ale człowiek ten robił sobie z tego żarty. Pewnego dnia zostało odkryte, iż mężczyzna ten choruje na nowotwór. Po raz wtóry mój przyjaciel usilnie nakłaniał go, aby oddał swe życie Jezusowi. Znów spłynęło to po nim. Kiedy przechodził ostatnie etapy choroby, tracąc przytomność i powracając do niej, mój przyjaciel ponaglał go, wskazując na bliskość śmierci. Jednego dnia, powracając na krótko do przytomności, zdumiał mojego przyjaciela mówiąc:

—Nie myślisz chyba, że taki mocno zbudowany chłop jak ja niedługo umrze?

Tego samego popołudnia umarł. Problemem jego było to, że tak dobrze ćwiczył się w mówieniu „nie", iż nie musiał traktować tego poważnie.

*3. Twoje teraźniejsze położenie.* Możliwe jest to, że możesz nigdy nie rozważać chrześcijaństwa tak poważnie jak w tej chwili. Jeśli nie podejmiesz działania teraz, kiedy o tym myślisz, w przyszłości będzie się to wydawać mniej poważne niż obecnie, kiedy dokładnie badasz wszystkie fakty. Jest mniej prawdopodobne, że zrobisz coś później, kiedy skończysz swoje przemyślenia.

Bóg mówi nam o Swoim istnieniu, więc możemy odpowiedzieć na to naszą przyjaźnią. Bóg zesłał Swojego Syna, aby umarł za nas. On nawołuje nas do powrotu i ostrzega nas, aby się nie opierać i nie zwlekać. Teraz jest czas na działanie.

Zostaje teraz pytanie: „co mam zrobić?" Jest to wyszczególnione w rozdziale dwunastym. Jakkolwiek, często, kiedy rozmawiam z ludźmi, mówią mi:

—Ale naprawdę jestem dobrym człowiekiem. Z pewnością nie sugerujesz, że ja jestem w niebezpieczeństwie? Więc zanim rozpatrzymy, jak powinnyśmy zareagować na Jezusa Chrystusa, zastanówmy się nad kolejnym pytaniem: *dlaczego bycie dobrym nie wystarcza?*

1    *Tak jak jest Dzisiaj*, Richard Milham, U.S.A.

# ROZDZIAŁ JEDENASTY

# *Dlaczego bycie dobrym nie wystarcza?*

Jednym z najbardziej powszechnych błędów w myśleniu o chrześcijaństwie jest uznawanie dobrych ludzi za chrześcijan. Jest możliwe być dobrą osobą i być ateistą. Jest możliwe być dobrą osobą i być buddystą. Jednakże, trzeba powiedzieć, iż jest możliwe byće dobrą osobą i nadal iść do piekła. W rzeczywistości, piekło będzie pełne dobrych ludzi.

Dobrzy ludzie naprawdę mają poważne problemy.

## DOBRZY LUDZIE NIE SĄ WYSTARCZAJĄCO DOBRZY

Pierwszym problemem, jaki mają dobrzy ludzie jest to, że bez względu na to, jak próbują, nie mogą zrobić z siebie wystarczająco dobrych dla Boga. Jest to po prostu niemożliwe. Jezus mówi nam, jaki jest Bóg i nawołuje nas, abyśmy byli tacy jak On. W kazaniu na Górze mówi:

„Bądźcie więc wy doskonali, jak doskonały jest Ojciec wasz

niebieski" (Ewangelia według Św. Mateusza 5:48). Kiedy uczony w piśmie zapytał Jezusa, co musiałby zrobić, aby otrzymać życie wieczne, Jezus zapytał go: „co jest napisane w prawie?":

On rzekł: *„Będziesz miłował Pana, Boga swego, całym swoim sercem, całą swoją duszą, całą swoją mocą i całym swoim umysłem; a swego bliźniego jak siebie samego.* Jezus rzekł do niego: 'Dobrze odpowiedziałeś'. *To czyń, a będziesz żył"* (Ewangelia według Św. Łukasza 10:27,28).

Ale prawdziwym problemem jest to, że nikt z nas nie może tak naprawdę tego osiągnąć, bez względu na to, jak się staramy. Po prostu nam się to nie udaje. Niektórzy ludzie jednak, poprzez mężne starania, czynią siebie lepszymi. Nikt z nas jednak nie jest wystarczająco dobry.

Przypuśćmy, że obydwoje decydujemy się wybrać na koncert. Kiedy już tam jesteśmy, odkrywamy, że kosztuje on dziesięć dolarów za jeden bilet. Sięgamy do kieszeni i zdajemy sobie sprawę, że ja mam jednego dolara, a Ty masz osiem. Tobie brakuje dwóch, a mnie jeszcze więcej. Żaden z nas nie wejdzie.

Dokładnie tak samo jest w sferze nadprzyrodzonej. Prawdziwym problemem jest to, że porównujemy się do siebie, a nie do Jezusa. Jeśli będę wystarczająco długo szukał, zwykle będę mógł w końcu znaleźć kogoś, kto wydaje się być gorszym ode mnie. Jednak, niemądrze byłoby myśleć, iż jestem wystarczająco dobry. Potrzebuję spojrzeć na Jezusa, aby zobaczyć jak daleko mi do ideału i czy dużo mi brakuje, czy mało, nadal mi to nie wystarcza.

## DOBRZY LUDZIE SĄ NAPRAWDĘ ZA DOBRZY

Drugim prawdziwym problemem, jaki dobrzy ludzie doświadczają jest to, że poddają się pokusie wierzenia, że są lepszymi niż w rzeczywistości. Od tego punktu nie dzieli ich dużo od uznania, że *są* naprawdę wystarczająco dobrzy dla Boga. Jezus opowiedział jedną ze swoich najbardziej przeszywających przypowieści na ten temat.

"Powiedział też do niektórych, co ufali sobie, że są sprawiedliwi, a innymi gardzili, tę przypowieść: 'Dwóch ludzi przyszło do Świątyni, żeby się modlić, jeden faryzeusz, a drugi celnik. Faryzeusz stanął i tak w duszy się modlił: „Boże, dziękuję Ci, że nie jestem jak inni ludzie, ździercy, oszuści, cudzołożnicy, albo jak i ten celnik. Zachowuję post dwa razy w tygodniu, daję dziesięcinę ze wszystkiego, co nabywam". Natomiast celnik stał z daleka i nie śmiał nawet oczu wznieść ku niebu, lecz bił się w piersi i mówił: „Boże, miej litość dla mnie, grzesznika!" Powiadam wam: Ten odszedł do do-mu usprawiedliwiony, nie tamten'" (Ewangelia według Św. Łukasza 18:9–14).

Gdyby nie wyszło to z ust Jezusa, moglibyśmy pokusić się o wątpliwość, czy może być to prawdą. Faryzeusz był naprawdę dobrym człowiekiem. Był uczciwy w swoim interesie, był dobrym ojcem i wiernym mężem. Był nawet religijny w swoim targowaniu, ale za to wszystko był obcym dla Boga, a jego 'dobroć' w rzeczywistości stanęła na drodze przebaczenia mu przez Boga. Celnik był grzesznikiem i wiedział o tym, a świadomość tego była jego najlepszą wartością! On przyznał się do tego, poddał się pod Boże miłosierdzie i zostało mu przebaczone. Nie był usprawiedliwiony dlatego, że był grzesznikiem, ale ponieważ w zaufaniu powołał się na Boże miłosierdzie. Faryzeusz był też grzesznikiem, ale jego 'dobroć' oślepiła go. Został on odrzucony nie dlatego, że był dobry, ale ponieważ traktował Boga, jak gdyby Go nie potrzebował. Prawdziwym kłopotem, kiedy jest się dobrym jest to, że poddajemy się pokusie myślenia, iż nie potrzeba nam przebaczenia, przynajmniej nie tak dużo.

### DOBRZY LUDZIE SĄ ZŁĄ WIADOMOŚCIĄ.

Prawdziwym problemem w ufaniu naszej własnej 'dobroci' jest to, że stawiamy się całkowicie po przeciwnej stronie niż Boża metoda naszego ocalenia. Śmierć i zmartwychwstanie Jezusa są w samym centrum wszystkich zamiarów Boga dla Jego świata. Tak więc jakikolwiek sposób, jaki mógłby być wynaleziony do bycia w zgodzie z Bogiem, ale który pomija te wydarzenia, nie może być właściwy. Możliwe jest być całkowicie dobrą osobą i nie wiedzieć nic o Jezusie. Możemy dzisiaj prowadzić naprawdę bardzo dobre życie, nawet gdyby Jezus nie urodził się i nie umarł, ale jeśli ufamy w naszą własną dobroć, nie opieramy się na orędziu Ewangelii — dobrej nowinie, W rzeczywistości traktujemy ją, jak gdyby była straszliwym błędem.

Bożym planem naszego wyratowania było zesłanie Jego jedynego Syna na śmierć za nas. Dobrzy ludzie mówią Mu:

—Nie musiałeś tego robić. Ja tego nie potrzebuję. Ja jestem w porządku taki, jaki jestem. Widzisz, wróciliśmy do samego początku. Gdybyśmy mogli to osiągnąć przez bycie dobrym, to to śmierć Jezusa byłaby niepotrzebna!

### DOBRZY LUDZIE WPRAWIAJĄ NAS W ZAKŁOPOTANIE

Dobrzy ludzie stwarzają nam problem. Życie dobrej osoby wprawia nas w zakłopotanie, ponieważ wydaje się mówić: „bycie chrześcijaninem nie jest z niczym związane. Jestem dobrym człowiekiem, a nie jestem chrześcijaninem." Można się w tym pogubić, ponieważ dobrzy ludzie mają w sobie coś sympatycznego i inni ludzie są wprowadzani w błąd, chcąc być takimi, jak oni. Jestem pewien, że nie mają zamiaru być niebezpieczni tak, jak są, ale prawdopodobnie byliby zaszokowani słuchając tego, co mówię. Niestety są niebezpieczni.

Przypuśćmy, że Twój sąsiad z jednej strony jest nieużytecznym leniem. Przychodzi regularnie pijany do domu i z taką samą regularnością bije swoją żonę i dzieci. Nikt nie zechce odzwierciedlić jego życia. Dla przykładu, przypuśćmy, że sąsiad z drugiej strony jest łaskawy i troskliwy, hojny i wyrozumiały. Kiedy jesteś w potrzebie, przychodzi ofiarować Ci pomoc, nawet zanim go o to poprosisz i nic nie wydaje się mu przeszkadzać. Opiszesz go jako „sól ziemi". Przedstawisz go swoim dzieciom jako przykład, „mam nadzieję, że kiedy urośniesz, będziesz jak pan Snooks." Pomimo tego, jeśli Snooks nie ma osobistego związku z Bogiem, istnieje możliwość, że doprowadzi on nas do wiary, iż życie z Chrystusem nie ma tak naprawdę znaczenia. Może nie być on tego świadomy, ale tak się stanie.

## INNI MOGĄ TEŻ WPROWADZIĆ NAS W ZAKŁOPOTANIE

Dobrzy ludzie wprowadzają nas w zakłopotanie, ale nie tylko oni to robią. Jestem pewien, że wszyscy byliśmy wprowadzeni w zakłopotanie przez ludzi, którzy podają się za chrześcijan, a nie zachowują się tak jakby nimi byli. Mówią o Jezusie, a nie żyją tak jak On. Trudno się w tym połapać. Ojciec mój był oszukany w interesach przez człowieka, który chodził do kościoła. Był słusznie przez to zniechęcony i powiedział mi:

—Czy chcesz, abym się stał takim jak ten człowiek?

—Chciałbym, abyście obydwaj byli jak Jezus — była moja odpowiedź.

Ale wiem, jak się czuł. Ty mogłeś być skrzywdzony czy też wprowadzony w błąd przez niektórych ludzi. Postaraj się, aby oni Cię nie zniechęcili. Patrz na Jezusa, On wcale nie wprowadza w błąd.

## JEZUS NIE JEST PRZECIWKO BYCIU DOBRYM

Prawdziwi chrześcijanie, którzy autentycznie powierzyli swoje życie Chrystusowi w zaangażowaniu i ufności, powinni codziennie wzrastać i stawać się bardziej podobni do Jezusa. Powinni robić postępy. O niektórych z nich możesz powiedzieć, że są dobrzy. Jeśli zapytasz ich, dlaczego próbowali prowadzić dobre życie, odpowiedzieliby:

—Jestem tak wdzięczny Jezusowi, że umarł za mnie i za moje przebaczone grzechy, iż prowadzę moje życie w taki sposób, aby Mu powiedzieć 'dziękuję'. Gdybyś zadał im pytanie:

—Czy myślisz, że Bóg pozwoli Ci wejść do nieba, ponieważ prowadzisz dobre życie? Powiedzieliby:

—Nie! Bóg pozwoli mi wejść do nieba, gdyż Chrystus umarł za mnie. Poprosiłem Boga o miłosierdzie nade mną i o przebaczenie i dzięki Jezusowi wiem, że tak zrobi.

Oni są najlepszym przykładem. Jeśli kogoś takiego spotkałeś, masz prawdziwe szczęście. Jakkolwiek, nie zniechęcaj się, jeżeli jeszcze nie spotkałeś. Jezus jest nadal prawdziwy i bardzo sympatyczny.

Chrześcijanie *powinni* być dobrymi ludźmi. Gdybyś ich zapytał:

—Czy próbujesz prowadzić dobre życie, aby uzyskać przychylność Boga?

—Nie — padłaby odpowiedź — Nie potrzebuję zyskać przychylności Boga. Chrystus zrobił to już za mnie i dzięki Niemu Bóg mnie akceptuje.

—Dlaczego więc próbujesz prowadzić dobre życie?

—Ponieważ wiem, że to podoba się Bogu. Więc robię to, aby okazać Mu swoją wdzięczność.

Jest duża różnica pomiędzy osobą prowadzącą dobre życie w nadziei *wygrania* Bożej łaski, a osobą prowadzącą dobre życie, ponieważ wie ona, iż już *ma* Bożą łaskę. Może być to ledwo uchwytne, lecz stanowi ogromną różnicę.

## DOBRZY LUDZIE MYŚLĄ, ŻE SĄ LEPSI OD BOGA

Problemem z bardzo dobrymi ludźmi, którzy nie są chrześcijanami jest to, że poprawiają to, co Bóg powiedział. On mówi:

—Nie możesz dać sobie sam rady.

Oni mówią:

—Mogę sobie sam dać radę.

Bóg mówi:

—Bądź nieskazitelny.

Oni mówią:

—Bądź najlepszym, jakim możesz być.

Bóg mówi:

—Nawróć się.

Oni mówią:

—Jestem wystarczająco dobry, jaki jestem.

Bóg mówi:

—Mogę cię zaakceptować tylko dzięki śmierci Mojego Syna.

Oni mówią:

—Moje życie jest do zaakceptowania takie, jakie jest.

Bóg mówi:

—Potrzebujesz przebaczenia.

Oni mówią:

—Spójrz na moją dobroć.

Ostatecznie, jeśli mam nadzieję, iż będę w porządku dzięki dobremu życiu, jakie prowadzę, stawiam się wyżej od Boga.

## DOBRZY LUDZIE TYLKO SAMI SIEBIE OSZUKUJĄ

Jan Apostoł przytacza bardzo pomocne słowa dla nas wszystkich. „Jeśli mówimy, że nie mamy grzechu, to samych siebie oszukujemy i nie ma w nas prawdy" ( Pierwszy List Św. Jana Apostoła 1:8). Nic nie jest tak patetyczne, jak oszukiwanie samego siebie. Jeśli uważam, że jestem wystarczająco dobry bez Chrystusa, to kto będzie oszukany? Bóg? Nigdy! Czy inni, którzy mnie znają będą oszukani? Nigdy! Oni za bardzo znają moje wady. Ja będę tylko jedynym oszukanym.

Jan daje rozwiązanie naszego problemu: „Jeżeli wyznajemy nasze grzechy, [Bóg] jako wierny i sprawiedliwy odpuści je nam i oczyści nas z wszelkiej nieprawości" (Pierwszy List Św. Jana Apostoła 1:9).

*Część Czwarta*

# CO TRZEBA ZROBIĆ?

# ROZDZIAŁ DWUNASTY

# *Co ja mam zrobić?*

Co WIĘC OSOBA POWINNA ZROBIĆ, żeby stać się chrześcijaninem?

Bóg zadziałał w naszym imieniu. Wysłał Swojego Syna, aby umarł i zmartwychwstał. Zesłał Swojego Ducha, aby nas ostrzegł o sądzie i uczył prawdziwego znaczenia pracy Jezusa dla nas. Zostaje nam tylko zaufanie do zaoferowanej nam przez Boga przyjaźni i przebaczenia.

Stawanie się chrześcijaninem wygląda bardziej jak ślub niż zarażenie się świnką. Kiedy zarazisz się świnką, budzisz się któregoś dnia, widzisz, że twarz i szyję masz opuchniętą i czujesz się okropnie. Natomiast małżeństwo wygląda zupełnie inaczej. Kiedy budzisz się rano i widzisz, że nie jesteś sam, nigdy nie powiesz:

—A to heca, jestem po ślubie!

Ze świnką mamy rzadko do czynienia, ale małżeństwo zawieramy przez nasze działania i decyzje.

Dobrze pamiętam ślub, jakiego udzieliłem Paulowi i Jane. Wiele razy rozmawiałem z nimi, aż przyszedł ten dzień, gdy Paul i Jane oboje stanęli przede mną. Zwróciłem się do Paula:

—Czy bierzesz sobie tę kobietę za żonę?

Zauważ, że nie powiedziałem:

—Co czujesz do tej kobiety?

Nie chciałem ryzykować, wiedziałem, co czuł. Był bardzo niespokojny. W ciągu tych kilku minut, kiedy staliśmy w kościele zanim przybyła Jane, wkładał chusteczkę w kolejne kieszenie i za każdym razem ponownie jej szukał.

Nie zapytałem go, czy ją kochał, (jakkolwiek jestem pewien, że to pomaga w małżeństwie!). Poprosiłem Paula, aby użył swojej woli, a nie uczuć. Rzekłem:

—Czy bierzesz tę kobietę za żonę od tego dnia, na dobre i na złe, w bogactwie i biedzie, w chorobie i w zdrowiu, zostawiając wszystkich innych, tylko łącząc się z nią [warunek jego decyzji] aż do śmierci [czas trwania jego zamiarów]?

Na co on odpowiedział:

Tak.

Kiedy dowiedziałem się, jakie są jego decyzje, zwróciłem się do Jane i zadałem jej to samo pytanie, na które odpowiedziała:

Tak.

Związek został zawarty na podstawie ich deklaracji, wynikających z ich intencji, w wyniku czego mogłem ich przedstawić jako męża i żonę.

Stawanie się chrześcijaninem wygląda bardziej jak małżeństwo niż chorowanie na świnkę. Nie budzisz się któregoś dnia i mówisz:

—Chyba stałem się chrześcijaninem.

Coś robisz i masz jakieś intencje. Bóg ogłosił Swoje zamiary w stosunku do nas. Wyróżniłem je w piątym rozdziale. Teraz pora na nasze decyzje, powinnyśmy się dobrze zastanowić i zdecydować, co zamierzamy zrobić.

Ludzie tak często odkładają decyzję, ponieważ spodziewają się jakiegoś mistycznego doświadczenia, o którym słyszeli. Wiedzą, że to, co robią jest nadprzyrodzone, więc wydaje im się, że wiąże się to z emocjami, czy też przeczuciem niż zamiarem

Jednak tak nie jest.

Wielu ludzi zaczęło kierować się emocjami, a potem w rzeczywistości dnia codziennego upadali i nic nie pozostawało z ich decyzji.

Tak jak w małżeństwie, decydują uczucia, ale nie mogą być podstawą działania. Dlatego też wydaje mi się, że tylu ludzi jest zakłopotanych, kiedy zadaję im proste pytanie:

—Czy jesteś chrześcijaninem?

Otrzymuję najdziwniejsze odpowiedzi.

—Nie jestem tak naprawdę pewien.

Niektórzy mówią:

—Mam nadzieję!

Inni znów mówią:

—Nie wiem, czy ktoś może to w ogóle wiedzieć.

Jest to interesujące, ale kiedy zadaję pytanie: „czy jesteś żonaty"?, „czy jesteś zamężna"? jeszcze nigdy nie usłyszałem niepewnej odpowiedzi! Jest albo „tak", albo „nie", albo „byłem".

Więc, jak powiem, „tak" Jezusowi Chrystusowi, wejdę z Nim w nowe życie.

Czy pamiętasz, że zacząłem tę książkę opisując sposoby, na jakie próbujemy zwracać się do Boga? Albo Go ignorujemy, albo Go wykorzystujemy, albo też reagujemy z otwartą wrogością. Próbowałem pokazać, że każdy z tych sposobów wynika z nastawienia buntowniczego. Więc, co musi się stać? Przypuśćmy, że dopiero mnie poznałeś i od samego początku wydaję Ci się ordynarny. Kiedy spotkamy się przy innej okazji, nie będę mógł udawać, że się nie znamy, czy też, że nie byłem ordynarny. Jeżeli chcę, żebyś był moim przyjacielem, muszę coś uczynić, aby naprawić szkodę, jaką uczyniłem przez swoją głupotę. Muszę przeprosić. Więc poddaję się Twojemu miłosierdziu:

—Tak się cieszę, że Cię jeszcze raz spotykam. Ostatnim razem, kiedy się poznaliśmy, zachowałem się bardzo niegrzecznie. Zastanawiam się, czy jesteś w stanie mi przebaczyć?

Wszystko w Twoich rękach. Ty i tylko Ty musisz zadecydować, czy jest nadzieja na nawiązanie przyjaźni.

Podobnie jest z Bogiem. Musimy wrócić, przeprosić i okazać nasze zamiary na przyszłość, po czym poddać się Jego miłosierdziu. W Biblii taki uczynek zwany jest nawróceniem się.

## NAWRÓCENIE SIĘ — CO TO JEST

W Biblii są pisma dotyczące nawrócenia. Jan Baptysta rozpoczął swoją pracę duszpasterską mówiąc:

„Nawróćcie się, bo bliskie jest królestwo niebieskie" (Ewangelia według Św. Mateusza 3:2).

W taki sam sposób Jezus rozpoczął Swoją służbę kaznodziejską (Ewangelia według Św. Mateusza 4:17) i dalej ją kontynuował (Ewangelia według Św. Łukasza 13:5).

Kazania apostołów odnosiły się do aktu nawrócenia.

„Nawróćcie się (…) i niech każdy z was ochrzci się w imię Jezusa Chrystusa na odpuszczenie grzechów waszych" (Dzieje Apostolskie 2:38). Oto wołanie Piotra Apostoła w dniu zesłania Ducha Świętego, co też było głównym wątkiem przemówień Pawła.

„Nie zważając na czasy nieświadomości, wzywa Bóg teraz wszędzie i wszystkich ludzi do nawrócenia" (Dzieje Apostolskie 17:30) powiedział Paweł do Ateńczyków. W rzeczywistości apel ten był zawsze obecny w jego duszpasterstwie. Opisuje on swoją pracę duszpasterską w tych słowach w liście do Efezjan:

„Jak nie uchylałem się tchórzliwie od niczego, co pożyteczne, tak że przemawiałem i nauczałem was publicznie i po domach, nawołując zarówno Żydów, jak i Greków do nawrócenia się do Boga i do wiary w Pana naszego Jezusa" (Dzieje Apostolskie 20:20,21).

Jest to bardzo ważna deklaracja, gdyż zawiera streszczenie naszego obowiązku nawrócenia się do Boga i wiary w Pana Jezusa Chrystusa.

W istocie, nawrócenie jest zmianą zamiarów w stosunku do Boga, z towarzyszącą zmianą zachowania. Jest to moment, w którym przyznaję się, że buntowałem się przeciwko prawowitym rządom Boga nad moim życiem i oznajmiam mój zamiar posłuszeństwa Bogu w przyszłości najlepiej jak potrafię.

Autentyczne nawrócenie wymaga, aby w sytuacji, gdy mój bunt przeciwko Bogu dotyczy również innych ludzi, muszę im zrekompesować wyrządzone krzywdy. Jest to opisane w życiu celnika — Zacheusza, który stał się uczniem Jezusa. W obecności przyjaciół i Jezusa powiedział: „Panie, oto połowę mego majątku daję ubogim, a jeśli kogo w czymś skrzywdziłem, zwracam poczwórnie" (Ewangelia według Św. Łukasza 19:8).

Uznał on Jezusa jako swojego Pana. Jego nowe życie stało się wypełnione hojnością i dobrymi uczynkami dla tych, których kiedyś oszukiwał. Ponieważ wszyscy jesteśmy różni, sposób, w jaki pokażemy nasze nawrócenie będzie się różnił w zależności od ludzi i okoliczności. W stosunku do Boga również. Przyznajemy się do grzechu i nawracamy się do służby Jezusowi jako naszemu Panu.

Odwiedziłem młodego mężczyznę, który nawrócił się. Spotkał chrześcijan,którzy głosili Ewangelię na ulicach, usłyszał o Bożym planie przebaczenia, o śmierci Jezusa, który oddał swoje życie, aby nasze grzechy zostały nam przebaczone. W swoim sercu odpowiedział na to nawróceniem się i uznaniem Jezusa jako swojego Pana, ale miał prawdziwy problem. Przez ostatnie cztery lata regularnie 'zarabiał' na życie dokonując włamań. Nawrócenie znaczyło dla niego pójście do komisariatu. Został aresztowany. Spotkaliśmy go w więzieniu w Long Bay.

Dla małej dziewczynki na obozie szkółki niedzielnej nawrócenie wyglądało zupełnie inaczej. Powiedziała mi, że chciałaby się nawrócić i uznać Jezusa jako swojego Pana.

—Jaką zrobi to różnicę na twoim zachowaniu w domu? — zapytałem.

—Jednym z moich obowiązków jest robić galaretkę na deser po obiedzie w niedzielę. Nigdy tak naprawdę nie mieszam jej, aż wszystkie kryształki się rozpuszczą, ale teraz wiem, że muszę — odpowiedziała. Muszę się przyznać, że mieszanie kryształków galaretki nigdy nie miało znaczenia w moim nawróceniu, ale nie mam wątpliwości, że nawrócenie powoduje ogromną zmianę w życiu każdego człowieka.

Kiedy ludzie przyszli do Jana Chrzciciela, pytając się, jak nawrócenie powinno wpłynąć na ich życie, dał im różne odpowiedzi. Do tłumu powiedział:

„Kto ma dwie suknie, niech [jedną] da temu, który nie ma; a kto ma żywność, niech tak samo czyni" (Ewangelia według Św. Łukasza 3:11).

Do celników:

„Nie pobierajcie nic więcej ponad to, ile wam wyznaczono" (Ewangelia według Św. Łukasza 3:13).

Do żołnierzy:

„Nad nikim się nie znęcajcie i nikogo nie uciskajcie, lecz

poprzestawajcie na swoim żołdzie" (Ewangelia według Św. Łukasza 3:14).

Stosowne słowa dla dzisiejszych pracowników.

Dla młodego, bogatego zarządcy, który chciał otrzymać życie wieczne i przyszedł do Jezusa, nawrócenie znaczyło oddanie swoich pieniędzy biednym. Uchylił się od tego i jak czytamy: „odszedł zasmucony, miał bowiem wiele posiadłości" (Ewangelia według Św. Mateusza 19:16–22).

Dla kobiety przy studni w Samarii, znaczyło to zajęcie się ważnymi moralnymi i małżeńskimi problemami. Uznając Jezusa jako Mesjasza, zawołała innych, aby „poszli i zobaczyli człowieka, który powiedział jej wszystko, co uczyniła". Nie uchyliła się przed publicznym wyznaniem swojego grzechu. (Ewangelia według Św. Jana 4:4–30).

Nie mogę powiedzieć, jaki będzie rezultat Twojego nawrócenia. Możesz wylądować w więzieniu. Możesz mieszać galaretkę, aż się rozpuści. Jakkolwiek zamiarem Boga będzie Twoje dobro, więc gdy się nawrócisz, poproś Go o pomoc w naprawieniu swoich złych uczynków względem innych.

Wiele lat temu, w czasie rozmowy, udzieliłem porady młodej kobiecie. Nawróciła się i oddając życie Jezusa jako jej nowemu Panu, opowiedziała mi swoją historię. Przez poprzednie sześć miesięcy firma pastoralna, w której pracowała płaciła jej odszkodowanie. Zażyła truciznę usiłując popełnić samobójstwo. Kiedy natomiast została zawieziona do szpitala, stwierdziła, że została ugryziona podczas pracy przez węża. Od tamtej pory nie pracowała. Zapytała mnie, co znaczyłoby nawrócenie. Było jasne, że musiałaby skończyć branie pieniędzy od zakładu pracy i jakoś się postarać, aby im spłacić dług. Pomogłem jej skontaktować się z chrześcijańskim prawnikiem, który od razu rozpoczął negocjacje z firmą. Przestali jej płacić, a ona zaoferowała im spłaty przez pewien okres czasu. Firma miała wielki problem. Nikt jeszcze tego nie zrobił i nie mieli żadnego pomysłu, jak to rozwiązać. W efekcie anulowali jej dług. Miała dużo szczęścia. Może też tak stać się z Tobą. Może też być tak, jak z chłopcem w więzieniu w Long Bay. Nie jestem Bogiem, nie wiem.

Zanim skończę temat, chcę zaprzeczyć, iż nasze nawrócenie tyczy się głównie bliźnich. Nawrócenie dotyczy przede wszystkim naszego stosunku do Boga. Z tego wynika nowe, prawe zachowanie. Złe zachowanie, w jakiejkolwiek formie, zawsze i od początku jest przeciwko Bogu.

Dawid — starożytny król Izraela i jeden z ludzi Boga, bardzo zgrzeszył. Pożądał żony drugiego człowieka, popełnił cudzołóstwo, okłamał jej męża, a kiedy okazało się, że jest w ciąży, zorganizował morderstwo jej męża, próbując 'uciszyć' całą sprawę. Był to niemoralny i zły czyn. Uszło to Dawidowi płazem, ale Bóg wysłał do niego proroka Natana (Druga Księga Samuela 12:1–14). Dawid nawrócił się i możesz przeczytać o jego reakcji w Psalmie 51. Dawid mówi do Boga:

„Tylko przeciw Tobie zgrzeszyłem i uczyniłem, co złe jest przed Tobą" (Psalm 51:6).

Zgrzeszył on także przeciwko kobiecie, jej małżonkowi i wszystkim ludziom Boga. Ale miał rację uznając, że przede wszystkim zgrzeszył przeciwko Bogu. Nawrócenie jest zmianą myśli i woli w stosunku do Boga. Mówię:

*„Panie Boże, w przeszłości buntowałem się przeciwko Tobie. Nie chciałem, aby Jezus władał moim życiem jako Pan. Wybacz mi proszę. Moim zamiarem na przyszłość jest służenie Mu najlepiej jak tylko potrafię. Pomóż mi to uczynić."*

Oto pierwsza część prawdziwego zobowiązania Jezusowi.

## NAWRÓCENIE — CZYM ONO NIE JEST

Nawrócenie nie jest głównie żalem. Jest częstym błędem, dlatego warto poświęcić trochę czasu rozważając ten temat. Niektóre z naszych grzechów powodują w nas wyrzuty sumienia. Inne nie pozostawiają żadnego śladu. Niektóre grzechy sprawiają, że mamy poczucie winy, inne są jak lekki wietrzyk nad jeziorem. Możesz bardzo żałować zrobienie czegoś, ale możesz wcale nie mieć pragnienia, aby zaczynać nowe życie pod autorytetem Chrystusa. Możesz czuć wielką ulgę, kiedy coś, co Cię dręczyło odejdzie. Ale to nie jest nawrócenie. Możesz nawrócić się, ale wcale nie żałować, że grzeszyłeś.

*1. Możesz czuć skruchę, ale się nie nawrócić.* W nawróceniu pytaniem nie jest „czy jest Ci przykro?", lecz „dlaczego jest Ci przykro?" Czy dlatego, że to Cię smuci, czy też dlatego, że zgrzeszyłeś przeciwko Bogu i odwróciłeś się od Niego.

Spotkałem wielu ludzi, którzy wspaniale zaczynali swoje chrześcijańskie życie, lecz w ciągu kilku lat rezygnowali. W prawie każdym przypadku, jaki poznałem, stało się tak, ponieważ nigdy się nie nawrócili. Mieli problemy, więc zwrócili się do Boga po rozwiązanie. Kiedy problemy się skończyły, ich chrześcijańskie życie również. Poddanie swojej woli Jezusowi jako Panu nie było podstawą ich decyzji. Tak, jak w małżeństwie, nawrócenie zaczyna się od zobowiązania i tak jak w małżeństwie, realizacja tej decyzji trwa całe życie. Każdy następny dzień jest jego kontynuacją. „Jak więc przejęliście naukę o Chrystusie jako Panu," mówi Paweł do Kolosan, „tak w Nim postępujcie" (List do Kolosan 2:6).

*2. Możesz się nawrócić, ale może Ci nie być przykro.* Jezus opowiedział historię o człowieku i jego dwóch synach:

„Co myślicie? Pewien człowiek miał dwóch synów. Zwrócił się do pierwszego i rzekł: 'dziecko, idź dzisiaj i pracuj w winnicy!' Ten odpowiedział: 'idę, panie!', lecz nie poszedł. Zwrócił się do drugiego i to samo powiedział. Ten odparł: 'Nie chcę!' Później jednak opamiętał się [nawrócił się] i poszedł. Który z tych dwóch spełnił wolę ojca?" (Ewangelia według Św. Mateusza 21:28–32).

Możesz wyobrazić sobie sytuację. Ojciec podchodzi do pierwszego syna:

—Idź pracować w winnicy — mówi.

W myślach, czy też głośno, słyszysz syna:

—Mam dosyć tego miejsca, mam dosyć winnicy i mam dosyć roboty! Nie idę. Nie podoba mu się to. Jednak w końcu nawraca się i poznajemy jego decyzję po uczynkach. Wydaje mi się, że nie lubił on winnicy, ani pracy w niej. Ale opamiętał się, wykazał silnym charakterem i posłuchał prośby swojego ojca. Drugi z synów był pewien swoich dobrych uczuć względem ojca, lecz nie okazał się posłusznym synem. Mówił jedno, ale jego czyny temu zaprzeczały. Rozmyślił się i nie usłuchał swojego ojca.

### CZY BÓG WEŹMIE NAS Z POWROTEM?

Dwóch chłopców uciekło z domu. Jeden miał dziesięć lat, a drugi tylko siedem. Pokłócili się z ojcem i zdecydowali się uciec. Ukryli się w jaskini niedaleko rzeki z tyłu domu i siedzieli tam, aż zrobiło się ciemno. Po jakimś czasie zdecydowali się wrócić przekazując tym ojcu ważne przesłanie. Kiedy ujrzał ich wracających, wziął ich w swoje ramiona i powiedział: „Hej tam! Dobrze jest mieć was z powrotem w domu. Myślałem, że odeszliście, ale cieszę się, że jesteście. Chodźcie na obiad."

Opowiedziałem tę historyjkę jednego wieczoru na obiedzie dla nastolatków. Po obiedzie jeden powiedział mi:

—Mieli szczęście. Mój stary omal mnie nie zabił, kiedy ja wróciłem do domu.

Pytaniem jest: Przypuśćmy, że wrócę do Boga i szczerze się nawrócę. Wyznam, iż buntowałem się przeciwko Niemu i objawię moje intencje, aby spróbować żyć pod władzą Jezusa. Zdaję się na Boże miłosierdzie i mówię:

—Czy możesz mi wybaczyć? Czy weźmiesz mnie z powrotem?

Odpowiedzią Boga jest:

—Przebaczę ci i wezmę cię z powrotem jako mojego prawdziwego przyjaciela, ponieważ mój Syn, Jezus Chrystus, umarł za ciebie. Wierz w to! (zob. Pierwszy List Św. Jana Apostoła 1:7,9; List do Rzymian 5:1; Drugi List do Koryntian 5:21).

„Wierzyć w to" jest częścią naszej szczerej reakcji. Czy mogę Ci przypomnieć, jak Paweł opisuje swoją pracę duszpasterską:

„przemawiałem i nauczałem was publicznie i po domach, nawołując zarówno Żydów, jak i Greków do nawrócenia się do Boga i do wiary w Pana naszego Jezusa." (Dzieje Apostolskie 20:21).

## WIARA — CZYM ONA JEST

Wiara jest prawdziwą ufnością Bogu, wiarą, że dotrzyma On Swojego słowa. W Biblii Abraham jest przedstawiony nam jako przykład człowieka wiary. Bóg złożył mu obietnicę i pomimo tego, że upłynęło wiele, wiele lat zanim otrzymał, co było mu obiecane, Abraham wytrwale ufał Bogu. Wiedział, że może na Boga liczyć i że dotrzyma On swojego słowa. Z upływem czasu było coraz ciężej wytrwać. Abraham jednak nie ugiął się. Wierzył. (Możesz przeczytać jego historię w Księdze Rodzaju, rozdziale 12 do 21 i wzmiankę Pawła o nim w Liście do Rzymian 4:18–25).

Najlepsza definicja wiary, jaką byłem w stanie znaleźć w Biblii jest w Liście do Rzymian 4:21. Paweł mówi o Abrahamie, iż był „przekonany, że w mocy jest On również wypełnić, co obiecał."

Wiara w Pana Jezusa oznacza, że przyjmujemy Jego śmierć i zmartwychwstanie za nas, przebaczenie naszych grzechów (List do Rzymian 4:25) i że nasza droga do Boga prowadzi przez Jezusa. My wierzymy w to, bo tak mówi nam Bóg. Wcześniej widzieliśmy jak śmierć Jezusa pojednała nas z Bogiem. On wybawia nas ze skutków naszego buntu. Jednak śmierć Jezusa nie ratuje wszystkich na świecie. Tylko tych, którzy Mu ufają.

Osoba, która pokłada wiarę w to, co Jezus zrobił dla niej, musi porzucić zaufanie do samej siebie, jakie dotychczas miała. Mogła uważać, że była całkiem dobrym człowiekiem. Teraz jednak zaczyna zdawać sobie sprawę z tego, iż Bóg akceptuje ją poprzez osobę Jezusa. Przenosi swoje zaufanie. Myliła się wierząc w siebie. Nie myli się jednak pokładając swoją ufność w Jezusie Chrystusie.

Oto pytanie dla Ciebie. Odpowiedź na nie pokaże dokładnie, gdzie jest Twoje zaufanie.

Pytanie: „Gdybyś dzisiaj umarł i stanął w obecności Boga, a On powiedziałby do Ciebie:

—Dlaczego powinienem wpuścić cię do mojego nieba?

Jakbyś odpowiedział?

Jeśli Twoja odpowiedź zaczyna się: „ponieważ ja…", to Twoja ufność jest w samym sobie.

Prawdziwy chrześcijanin, który odwzajemnił się nawróceniem i wiarą odpowiedziałby:

—Ponieważ Jezus umarł i zmartwychwstał za mnie.

Pewność i zaufanie takiej osoby jest w Jezusie.

## WIARA — CZYM ONA NIE JEST

Widzę, że jest dużo więcej nieporozumień dotyczących terminu ‚czym jest wiara', niż co jest istotą nawrócenia.

*1. Wiara nie jest uczuciem.* Kiedy ludzie mówią mi: „chciałbym mieć twoją wiarę", wydaje mi się, że szukają emocjonalnego doświadczenia, które wywołałoby w nich wiarę. Uważają wiarę za ‚coś' mistycznego, co przytrafia się niektórym ludziom. Jeśli to masz, masz szczęście; jeśli nie masz, to pech i nic nie możesz na to poradzić. Myślą, że można ją otrzymać poprzez obrzęd religijny, albo też przebywając w jakimś 'świętym' miejscu. Jednak tak nie jest. Kiedy ludzie mówią:

Chciałbym mieć twoją wiarę.

Odpowiadam:

Masz tyle wiary, co i ja. Twoja jest skierowana w innym kierunku.

Pewnego dnia wsiadłem do autobusu, aby pojechać na stację kolejową. Ponieważ nigdy nie mogę zapamiętać jak kursują autobusy w soboty i niedziele, muszę zajrzeć do rozkładu jazdy. Ufam kierowcy, że przyjedzie o tej porze, która podana jest w rozkładzie. Zatem przygotowuję się do wyjścia. Mogę zamiast tego oprzeć się na zaufaniu w moją zdolność pamiętania godzin odjazdu. Zamiast spojrzeć na rozkład, mogę zgadywać. W moim przypadku na to drugie nie mogę liczyć.

Nie dlatego, że mam więcej wiary w jednym przypadku, lecz dlatego, że moje zaufanie jest oparte na informacji, która jest wiarygodna.

Na rozkład jazdy autobusu można bardziej liczyć niż na moją pamięć. Więc lepiej jest zaufać temu niż swojej pamięci.

Jednego dnia źle przeczytałem rozkład jazdy i poszedłem

złapać autobus. Oczywiście nie przyjechał, pomimo że miałem całkowitą wiarę, że przyjedzie. Moja wiara nie przyniosła autobusu, nie dlatego, że nie miałem jej wystarczająco, lecz dlatego, że zrobiłem błąd w tym, jak jej użyłem. Wiara, tak jak nawrócenie, jest czymś, co robimy naszą siłą woli. Wiemy, że Bóg jest godny zaufania. Zrobi tak jak powie, więc pokładamy w Nim naszą pewność. Ufamy Jemu.

2. *Wiara nie jest tylko intelektualnym uznaniem.* Wiara jest czymś więcej niż takim zwykłym intelektualnym uznaniem, tak jak gdyby ktoś powiedział: „wierzę, że Canberra jest stolicą Australii". „Wielu ludzi, którzy wierzą w Boga, nadal sprzeciwiają się Mu i nie nawracają się. Niektórzy ludzie, którzy wprawdzie wierzą, że Jezus umarł, aby ich grzechy były odpuszczone, nie przychodzą do Niego w nawróceniu i zaufaniu. Jakub mówi nam, że demony wierzą w Boga i drżą" (List Św. Jakuba Apostoła 2:19).

3. *Wiara nie jest ślepą nadzieją, czy też życzeniem.* Dla niektórych ludzi wiara jest tym, co robimy, kiedy wiedza już nie wystarcza. Mówią: „nie ma na to żadnego dowodu, musisz użyć do tego wiary". Nie jest to wcale perspektywą Pisma Świętego.

Inni mówią mi, że jeśli wierzą w coś wystarczająco mocno, to Bóg jest zobowiązany do uczynienia tego. Ja myślę, że jest to tylko życzeniem, a nie wiarą, i może to doprowadzić do okropnego założenia próby manipulowania Bogiem przez modlitwy. Bóg jest Swoją własną osobą. On robi to, co obiecuje. Jeśli nie dał żadnej obietnicy w danym przypadku, będziemy musieli zaufać Mu, że zrobi to, co jest dobre dla nas, co wynika z Jego miłości.

*4. Wiara nie jest zaufaniem w wiarę.* 'Wierzenie' nie jest dobre ani złe. Jest neutralne. Nie jest tym, *że* wierzę, lecz *w kogo* wierzę. Przypuśćmy, że wchodzę do pokoju chcąc przeciągnąć elektryczny kabel do światła. Na końcu są dwa gołe druty.

—Potrzymaj je — mówię — prąd jest odłączony.

Możesz mi wierzyć, lecz wiara ta nie byłaby warta grosza, jeżeli kłamię. Twoja wiara jest *dobra*, lecz całkowicie skierowana w złym kierunku. Nie ma nic złego w Twojej wierze. To ja nie jestem godny zaufania. Nie powinieneś mi nigdy ufać.

Kiedy Biblia mówi o wierze, zawsze mówi o *obiekcie* tej wiary, Panu Jezusie, nigdy o czynności wierzenia. Martwi mnie, kiedy słyszę jak ludzie mówią: „wiem, że Bóg mnie przygarnie przez moją wiarę." Ich wiarę w kogo? Ponieważ ich wiara nadal jest skierowana w nich samych. Mają oni 'wiarę w wiarę'.

### TERAZ JEST CZAS NA CZYN

Więc, gdzie teraz jesteśmy? Mówiliśmy już o naszej potrzebie ratunku od samych siebie i bałagganie, do którego doprowadził nas bunt.

Mówiliśmy o tym, co Bóg uczynił dla nas poprzez zesłanie Jezusa na świat, aby żył i umarł, abyśmy my dostąpili przebaczenia. Co ma więcej zrobić Bóg?

On robi więcej. Ostrzega nas o niebezpieczeństwie odmowy powrotu i zwlekania. Może przysłać Ci przyjaciela — chrześcijanina, który pożyczył Ci tę książkę i czytając ją, dał Ci jeszcze więcej czasu do rozważenia, co On zrobił. Co ma więcej Bóg zrobić?

On robi więcej. Nadal zapewnia nas o korzyściach przyjaźni z Nim. Obiecuje swoje zaangażowanie dla nas. Czy nie czas, abyś ty ofiarował Mu się w nawróceniu i wierze?

Mogłeś już wcześniej dotrzeć do tego miejsca, ale jakoś nie użyłeś swojej woli i nie powiedziałeś, „tak". Może to dopiero pierwszy raz, kiedy pomyślałeś o tym. Jakkolwiek, czy jest to 'stare' czy 'nowe', naprawdę czas na czyn.

Może zechcesz powiedzieć tę modlitwę nawrócenia i wiary lub też skomponować coś samemu. Same słowa nie mają takiego znaczenia jak postawa nawrócenia i ufności Jezusowi.

*„Boże, chcę Ci wyznać, że buntowałem się przeciwko Tobie w moich myślach, w mowie i uczynkach. Przykro mi, że tak się zachowywałem. Od dzisiaj będę służył Jezusowi jako mojemu Panu, najlepiej jak mogę. Proszę, pomóż mi w tym. Panie Jezu, dziękuję Ci za Twoją śmierć i zmartwychwstanie, za moje odpuszczenie grzechów. Proszę, przebacz mi i oczyść mnie ze wszystkich moich grzechów i daj mi podarunek życia wiecznego. Proszę, przyjdź i zawładnij całym moim życiem. Amen."*

Jeśli powiedziałeś tę modlitwę albo podobną, możesz być pewien, że Bóg usłyszał i *odpowiedział* na nią. Zostało Ci przebaczone, jesteś oczyszczony z grzechów i zaakceptowany przez Boga. Raduję się z tego powodu. Witaj wśród Bożych ludzi! Właśnie rozpocząłeś nowe pasjonujące życie w przyjaźni z żywym Bogiem.

Jednak zaczynasz i jako początkujący potrzebujesz pomocy. Zostają dwie rzeczy do zrobienia. Pierwsza, musisz wiedzieć, co robić, aby wzrastać i być dojrzałym chrześcijaninem. Druga, musisz być pewien, że to, co zrobiłeś, zadziałało. To tematy dwóch następnych rozdziałów.

Jednak zanim zostawimy ten rozdział, ostatnie słowo.

## NAWRÓCENIE I WIARA SĄ DARAMI OD BOGA

Nawrócenie i wiara są darami, które pochodzą od Boga (Dzieje Apostolskie 11:18; List do Filipian 1:29). Jeśli będziesz chciał stać się chrześcijaninem, a nie możesz się nawrócić i zaufać Bogu, powinieneś błagać Boga o miłosierdzie nad Tobą i o te dary. Powinieneś trwale modlić się, aż On Ci je da. Możesz być pewien, że Bóg nie będzie z Ciebie kpił i odpowie na Twoją modlitwę.

Jeżeli zwróciłeś się do Boga w nawróceniu i wierze, zatrzymaj się teraz i podziękuj Bogu za te dary.

# ROZDZIAŁ TRZYNASTY

## *Czy mogę być pewien?*

Za pierwszym razem, kiedy wyjechałem za granicę, odwiedziłem Indie. Jedną z wielu rzeczy, jakie trzeba było zrobić przed wyjazdem, była szczepionka przeciw ospie. W porę pojawiłem się u mojego rejonowego lekarza, który należycie zrobił swoje i powiedział:

—Przyjdź za trzy tygodnie i zobaczymy czy się przyjęło. Więc wróciłem, ale nie było potrzeby. Przyjęło się dobrze. Dzień i noc cała moja ręka świadczyła o fakcie, że szczepionka naprawdę podziałała.

Czasami w początkowych etapach chrześcijańskiego życia zastanawiamy się nad tym, czy oszukaliśmy się, kiedy staliśmy się chrześcijanami. Jesteśmy niepewni czy się to przyjęło, czy nie. Dlatego zanim zakończę tę książkę, chcę odpowiedzieć na pytanie: „czy mogę naprawdę być pewien, że jestem chrześcijaninem?"

### OKROPNE PRZYPUSZCZENIE
Kilka lat temu, słynny pianista odbył swoje tournée po Australii.

Zwyczajem było w Australijskiej Komisji Audycji Radiowych prosić gościa — artystę o podpisanie Dziennika Gości, włączając tytuł indentyfikacyjny.

Ale co ja napiszę? — zapytał.

Ktoś zasugerował:

Najlepszy pianista, jaki żyje.

Uśmiechnął się, wziął długopis, napisał, po czym zamknął dziennik. Później, kiedy otwarto dziennik, odkryto za jego imieniem skromną wzmiankę, 'gra na pianinie!'

Taka pokora jest zawsze atrakcyjna. Czasem ktoś nie czuje się dobrze na myśl nazwania się chrześcijaninem. Niektórzy uważają, iż może być to zbyt zarozumiałe.

Aczkolwiek Pismo Święte chce nie tylko, abyśmy byli chrześcijanami, ale też, abyśmy mieli pewność, że nimi jesteśmy. Jan napisał list do chrześcijan z pierwszego wieku i powiedział w nim:

„O tym napisałem do was, którzy wierzycie w imię Syna Bożego, abyście wiedzieli, że macie życie wieczne" (Pierwszy List Św. Jana Apostoła 5:13).

Chciał, aby ten list stał się pomocny, kiedy czujemy się niepewnie.

Apostoł Paweł pod koniec swojego życia był zdolny powiedzieć:

„Albowiem krew moja już ma być wylana na ofiarę, a chwila mojej rozłąki nadeszła. W dobrych zawodach wystąpiłem, bieg ukończyłem, wiary ustrzegłem. Na ostatek odłożono dla mnie wieniec sprawiedliwości, który mi w owym dniu odda Pan, Sędzia Sprawiedliwy, a nie tylko mnie, ale i wszystkim, którzy umiłowali pojawienie się Jego" (Drugi List do Tymoteusza 4:6–8).

Nie tylko był on pewien swojej fortuny, ale nadal przypisuje tę pewność wszystkim, którzy oczekują pojawienia się Jezusa.

Kiedy Paweł napisał do kościoła Filipian, wyraził swoją pewność o ich pozycji jako chrześcijan.

„Mam właśnie ufność, że Ten, który zapoczątkował w was dobre dzieło, dokończy go do dnia Chrystusa Jezusa" (List do Filipian 1:6).

Ufność ta była w Bogu, a nie w chrześcijanach z Filippi. Paweł wiedział, że Bóg, który zapoczątkował coś, był zdolny do zakończenia tego. Pewność, iż jesteśmy chrześcijanami nie jest przypuszczeniem, ani nie jest brakiem skromności. W rzeczywistości odwrotność tego jest przypuszczeniem. Być niepewnym, kiedy Bóg mówi, że jesteśmy naprawdę Jego, jest zarozumiałością w stosunku do Boga. Jest to okropnym przypuszczeniem.

## TO UCZUCIE HUŚTAWKI

Stałem się chrześcijaninem w wieku siedemnastu lat. Nie wiedziałem dużo o Biblii, a kościół, do którego chodziłem nie bardzo mi pomógł. Tego wieczoru, kiedy się nawróciłem, poczułem ogromne uczucie ulgi na samą myśl o moich przebaczonych grzechach i o tym, że należę do Boga. Czułem się wspaniale! To uczucie oczywiście nie trwało długo. To był problem, którego nie byłem w stanie rozwiązać wiele lat. Uważałem, że to wspaniałe uczucie spowodował Duch Święty, który mieszkał we mnie. Byłem w błędzie. Kiedy uczucie zaczęło znikać i powróciłem do normalnego stanu, zacząłem panikować: „dokąd odszedł Duch Święty?" W kościele, każdego niedzielnego wieczoru, byłem w stanie odzyskiwać to uczucie. Byłem naładowany! Lecz pomimo tego, że baterie działały świetnie niedzielnego wieczoru, nie wystarczały do środy, czy czwartku, kiedy miałem już wrażenie, że znajduję się na dnie fali. W niedzielę znów wznosiłem się na szczyt huśtawki. W górę, na dół i tak dalej.

Nie mogłem polegać na na swoich uczuciach. Ktoś powiedział mi niedawno:

—Twoje uczucia są bardziej zależne od stanu twojej wątroby niż od stanu twojej duszy. To było dla mnie bardzo pomocne. Moim problemem w tych początkowych dniach było to, że miałem nietrafne oczekiwania i ufałem nieodpowiednim rzeczom.

Więc kiedy możemy być pewni? W skrócie, możemy być pewni przez obecność Boga. Kim On jest, co powiedział i co zrobił. Gdyby to od nas zależało, bylibyśmy pełni wątpliwości, bo nie można na nas polegać. Ponieważ zależy to od Boga, nie ma żadnej niepewności.

## I. BÓG PRZEMÓWIŁ

Bóg przemówił, a kiedy mówi, coś zaczyna się dziać. Kiedy Bóg coś mówi, możesz być pewien, że tak jest.

*a) Bóg przemówił o Panu Jezusie.* Bóg mówi nam, że przyjmie nas i przebaczy nam przez Jezusa. Pismo Święte jest pełne obietnic na ten temat.

„Jeśli przyjmujemy świadectwo ludzi — to Świadectwo Boże znaczy więcej, ponieważ jest to Świadectwo Boga, które dał o Swoim Synu. Kto wierzy w Syna Bożego, ten ma w sobie Świadectwo Boga, kto nie wierzy Bogu, uczynił Go kłamcą, bo nie uwierzył Świadectwu, jakie Bóg dał o swoim Synu. A Świadectwo jest takie: że Bóg dał nam życie wieczne, a to życie jest w Jego Synu. Ten, kto ma Syna, ma życie, a kto nie ma Syna

Bożego, nie ma też i życia (Pierwszy List Św. Jana Apostoła 5:9–12).

Możesz być pewien z punktu widzenia Boga, że jeśli uwierzysz w Pana Jezusa Chrystusa, masz życie wieczne.

Posłuchaj tej obietnicy:

„Jeżeli zaś chodzimy w Światłości, tak jak On sam trwa w Światłości, wtedy mamy jedni z drugimi współuczestnictwo, a krew Jezusa, Syna Jego, oczyszcza nas z wszelkiego grzechu" (Pierwszy List Św. Jana Apostoła 1:7). Jan mówi nam tutaj, że śmierć Jezusa [krew Jezusa] jest taka, iż nieustannie oczyszcza nas ze wszystkich grzechów, nawet z ostatniego. Więc wiedz na pewno, jeśli jesteś w Chrystusie, zostałeś oczyszczony ze wszystkich grzechów. Bóg mówi, że będziesz traktowany, jak gdybyś nigdy nie zgrzeszył.

Paweł zadaje pytanie: „Któż może wystąpić z oskarżeniem przeciw tym, których Bóg wybrał?" (List do Rzymian 8:33).

To też jest dobre pytanie! Wyobraź sobie, że jesteś w obecności Boga w dniu Sądu i ktoś mówi:

—Czy ktoś ma coś przeciwko tej osobie?

Normalnie zatrząsłbyś się na samą myśl. Wiesz, że jest dużo ludzi. Natomiast Bóg mówi:

—Cisza! Niech nikt nic nie mówi! Ja usprawiedliwiłem tę osobę.

„Czy Bóg jest tym, który usprawiedliwia?" (List do Rzymian 8:33).

Ponieważ życie i praca Jezusa są całkowicie zaakceptowane przez Boga, Ty i ja również możemy być całkowicie zaakceptowani. Jest tak, iż kiedy zwracamy się do Pana Jezusa nawróceni i pełni wiary, dane są nam dwa Świadectwa. Pierwsze brzmi:

„Oto Świadectwo, że osoba, do której to należy, prowadziła idealne życie".

Na drugim napisane jest: „Oto Świadectwo, że osoba, do której to należy, zapłaciła całą karę za wszystkie grzechy".

Gdybyś w dniu Sądu miał je przy sobie, każda z nich Ci się przyda. Z obydwoma będziesz całkowicie bezpieczny. Jeśli ktoś powie:

—Skąd je masz?

Będziesz w stanie powiedzieć: „Są to podarunki i dane są mi przez Pana Jezusa."

Bez wątpienia powiedzą:

—W porządku. Prowadził On idealne życie i zapłacił za wszystkie grzechy. On i tylko On jest w stanie podarować ci coś takiego.

W przypadku, gdybyś myślał, że jest to wyolbrzymione, posłuchaj, co mówi Bóg: „... a łaska przez Boga dana to życie wieczne w Chrystusie Jezusie, Panu naszym" (List do Rzymian 6:23).

Gdyby to od nas zależało i od tego, co myśmy zrobili, bylibyśmy pełni niepewności, lecz Bóg przemówił o Jezusie. W rzeczywistości to wszystko zależy od Niego.

b) *Bóg przemówił o naszych grzechach.* Od czasu do czasu przypominają mi się rzeczy, jakie zrobiłem w przeszłości i o których, jak się orientuję, nikt nie wie; rzeczy, za które jest mi wstyd; rzeczy, o których wolałbym, aby nikt nie wiedział. Kiedy sobie o nich przypomnę, często czuję, jak gdyby nie było mi przebaczone. Jest to tak, jak gdyby moje sumienie powróciło do życia i nie chciało zasnąć.

Spotkałem pewną panią na konferencji, która powiedziała, że Bóg objawił jej, iż jeśli popełni pewien grzech po raz wtóry (nie powiedziała mi, co to było), nigdy już nie będzie jej przebaczone. Wiesz już, skąd pochodzi ten wątek! Czuć siarkę na całej powierzchni. Jest to prosto z 'dołu'.

Duch oskarżający nie jest nikim innym jak pracą samego szatana. Jest on zwany „oskarżycielem braci naszych" (Apokalipsa Św. Jana 12:10), i „ojcem kłamstwa" (Ewangelia według Św. Jana 8:44), a całym jego celem jest tak nas zniechęcić, abyśmy zwątpili w naszą pozycję przed Bogiem.

Co Bóg mówi o naszych grzechach?

„Bo jak wysoko niebo wznosi się nad ziemią, tak można jest Jego łaskawość dla tych, co się Go boją. Jak jest odległy wschód od zachodu, tak daleko odsuwa od nas nasze występki." (Psalm 103:11,12)

„... poza siebie rzuciłeś wszystkie moje grzechy." (Księga Izajasza 38:17)

„Uliluje się znowu nad nami, zetrze nasze nieprawości i wrzuci w głębokości morskie wszystkie nasze grzechy." (Micheasza 7:19)

„Ja, właśnie Ja przekreślam twe przestępstwa i nie wspominam twych grzechów." (Księga Izajasza 43:25)

W poetycki sposób mówi Bóg, że nasze grzechy zostały odrzucone tak daleko, jak wschód jest od zachodu, na dno morza, za Jego plecami, zdeptane pod nogą, wymazane z pamięci.

Czasem, kiedy przepraszasz po kłótni, ludzie mówią: „Już o tym zapomniałem." Niestety, kiedy zaczyna się źle układać, orientujesz się, że oni wcale nie zapomnieli. Na nowo o tym wspominają!

Możesz być pewien, że Bóg nie będzie wspominał Twojej przeszłości. On rozprawił się z tym całkowicie.

*c) Bóg przemówił o modlitwie.* Jest kilka warunków, jakie Bóg ustanowił na temat modlitwy i jeśli je wykonamy, na pewno da nam to, o co prosimy.

„Ufność, którą w Nim pokładamy, polega na przekonaniu, że wysłuchuje On wszystkich naszych próśb *zgodnych z Jego wolą.* A jeśli wiemy, że wysłuchuje nas, pewni jesteśmy również posiadania tego, o co Go prosimy. (Pierwszy List Św. Jana Apostoła 5:14–15).

Jezus powiedział: „Zaprawdę, zaprawdę, powiadam wam: O cokolwiek byście prosili Ojca, da wam *w imię moje*" (Ewangelia według Św. Jana 16:23).

Warunkiem otrzymania tego, o co prosimy jest to, iż musi to być „zgodne z wolą Boga" i być „w imieniu Jezusa", co znaczy zgodne z charakterem Jezusa.

Wiemy, że Bóg pragnie, aby wszyscy ludzie byli zbawieni (Pierwszy List do Tymoteusza 2:4). Wiemy, że Jezus przyszedł szukać i zbawić tych, co się zgubili (Ewangelia według Św. Łukasza 19:10). Dlatego też możesz być pewien, iż przez modlitwę, jaką powiedziałeś pod koniec rozdziału dwunastego, czy też podobną, Bóg dał Ci to, o co prosiłeś. Dobrze byłoby powrócić i przeczytać raz jeszcze właśnie to, o co poprosiłeś Boga, aby dla Ciebie zrobił.

Nasze uczucia mogą igrać z nami, lecz faktem zostaje to, że *Bóg przemówił.* Więc gdy uczucia się nie zgadzają, muszą być zignorowane. Kiedy się zgadzają, ciesz się nimi.

## 2. BÓG ZADZIAŁAŁ

Bóg nie tylko przemówił, ale zadziałał w naszym imieniu.

*a) Bóg działa w historii.* Czasami są w życiu wypadki, które sprawiają, że zaczynamy się zastanawiać, czy w istocie Bóg nas kocha. Może to być śmierć kogoś bliskiego, albo też o wiele gorsze okoliczności. Nieszczęście, które sprawiło, iż czujemy jakby Bóg odwrócił się od nas. Jak mogę wierzyć w Boga w takiej chwili?

Ponieważ Bóg działa i pokazuje nam Swoją miłość w taki wyraźny sposób, iż nie może zmienić tego nasza sytuacja, bez względu na to, jak wydaje się nam być okropna.

W pierwszym wieku w Jerozolimie, Bóg zesłał na świat Swojego Jedynego Syna. To naprawdę się wydarzyło. Jego matką była Maryja. „Dlatego że Bóg był z Nim, przyszedł On dobrze czynić i uzdrawiając wszystkich, którzy byli pod władzą diabła" (Dzieje Apostolskie 10:38). Rzeczywiście On wziął na siebie karę, na którą my zasługiwaliśmy i zmartwychwstał po to, aby nas ratować. Gdybyśmy byli w górnym pomieszczeniu z uczniami, kiedy Jezus się im ukazał, tak jak Tomasz moglibybyśmy dotknąć Jezusa, aby się upewnić, że nie śnimy. To się wydarzyło. Bóg pokazał jak bardzo nas kocha. „Tak bowiem Bóg umiłował świat, że Syna Swego Jednorodzonego dał, aby każdy, kto w Niego wierzy, nie zginął, ale miał życie wieczne" (Ewangelia według Św. Jana 3:16). Nic, co po tym następuje, nie może tego zmienić.

Dlatego też możemy być pewni.

Od czasu do czasu budzę się i myślę, że nie chcę już być chrześcijaninem. Nie chcę czytać Biblii. Nie chcę się modlić i dosyć mam bycia łaskawym dla ludzi. Chce mi się 'wyrzucić to wszystko na śmietnik'. Co mnie powstrzymuje? Siadam na brzegu mojego łóżka i zadaję sobie pytanie: „czy zdobyłeś jakąś nową historyczną informację, która ukazuje, że Jezus nie umarł i nie zmartwychwstał?" Odpowiedź: Nie!

„Czy Jezus wrócił do nieba?" — Tak.

„Czy On powróci?" — Tak.

No i Johnie Chapman, czy wydaje ci się, żebyś miał dużo miejsca na manewry. Wstawaj i do roboty. Pomaga to mojej wytrzymałości. *Bóg zadziałał* dla mnie.

*b) Bóg działa w naszym życiu.* Nie tylko Bóg działa dla nas, ale też pracuje *w nas.* Stajemy się chrześcijanami przez Ducha Świętego, którego Bóg zesłał do pracy z nami i w nas.

Raz tylko przechodziłem operację. Podano mi lekarstwo, które wprowadziło mnie w stan wspaniałej euforii. Zostałem przywieziony na salę operacyjną, mój chirurg życzył mi powodzenia i to wszystko, co pamiętam. W czasie operacji, która wydawała się trwać ułamek sekundy, lecz przypuszczam, że trwała około godziny, chirurg delikatnie poklepał mnie po twarzy mówiąc:

—Już po wszystkim, staruszku.

—Po wszystkim?

Wydawało się, jak gdyby dopiero się zaczęło.

Ci z Was, którzy mieli operacje, wiedzą, o czym mówię. Ci, co nie przeszli przez to, mają dużo szczęścia. Po wielu tygodniach jeszcze wiedziałem, że operacja ta miała miejsce. Cały czas mam wyraźny dowód tej operacji, pomimo że jest on już dużo mniej widoczny. Praca Ducha Świętego jest w pewnym sensie podobna. Rozpoznajemy ją o wiele lepiej po rezultatach niż w czasie, kiedy On pracuje.

Jezus opisuje pracę Ducha jako wiatr, który wieje i którego działanie poznajesz po kołyszących się drzewach. Nie wiesz jednak skąd pochodzi, ani dokąd idzie (Ewangelia według Św. Jana 3:8).

A więc, jakie są rezultaty?

### NOWE NASTAWIENIE DO JEZUSA.

Pracą Ducha Świętego jest uczyć nas o Jezusie i przekonać nas, że jest On Panem (Ewangelia według Św. Jana 16:8–11). Jest to jednym z powodów, dlaczego jesteśmy tak mało świadomi samego Ducha Świętego, ponieważ On zawsze kieruje naszą uwagę na Pana Jezusa. Im więcej On pracuje, tym bardziej stajemy się świadomi Jezusa. Paweł powiedział chrześcijanom w Koryncie, iż „nikt też nie może powiedzieć bez pomocy Ducha Świętego: „Panem jest Jezus"(Pierwszy List do Koryntian 12:3). Zanim staniemy się chrześcijanami, możemy mieć świadomość, że Jezus jest Synem Boga lecz to nie sprawia, iż mamy chęć przekazać Mu rządy nad naszym życiem.

Kiedy staliśmy się chrześcijanami, powiedzieliśmy, że chcemy uznać Jezusa jako naszego Pana. Chcieliśmy, aby rządził nami jako Władca. Zrobiliśmy tak, ponieważ Duch Święty, którego dał nam Bóg pracuje w nas.

## NOWE NASTAWIENIE DO GRZECHU

Zanim staliśmy się chrześcijanami, nie martwiliśmy się o nasze grzechy przeciwko Bogu, chyba, że miały dla nas przykre konsekwencje. Nie obchodziło nas to, że były przykre dla naszego Stwórcy i stwarzały prawdziwą barierę pomiędzy nami i Bogiem. Ale jakie jest teraz Twoje nastawienie? Nasze grzechy martwią nas. Szczerze staramy się od nich odwrócić. Pragniemy robić postępy. Czasami zniechęcamy się, gdyż nie wychodzi nam to lepiej. Paweł wyraził to, jak możemy czuć się od czasu do czasu: „bo łatwo przychodzi mi chcieć tego, co dobre, ale wykonać — nie. Nie czynię bowiem dobra, którego chcę, ale czynię to zło, którego nie chcę" (List do Rzymian 7:18 b,19). To nastawienie z pewnością nie jest nastawieniem niewierzącego. Nie będąc chrześcijanami powiedzielibyśmy:

—Mam chęć robić to, na co mam ochotę i co więcej, zrobię to.

Zmiana to została wywołana przez pracę Ducha Świętego. Jan opisuje to w następujący sposób:

„Każdy, kto trwa w Nim, nie grzeszy, żaden zaś z tych, którzy grzeszą, nie widział Go ani Go nie poznał… Każdy, kto narodził się z Boga, nie grzeszy, gdyż trwa w nim nasienie Boże; taki nie może grzeszyć, bo się narodził z Boga" (Pierwszy List Św. Jana Apostoła 3:6,9).

Wersety te są trochę szokujące, kiedy je czytasz po raz pierwszy. W liście tym Jan określa grzech jako „bezprawie" (Pierwszy List Św. Jana Apostoła 3:4), które jest do-kładnym stanem, w jakim my byliśmy zanim staliśmy się chrześcijanami. Nie mieliśmy zamiaru być posłuszni Bogu. Tego już nie ma. Jeśli zredagujesz inaczej poprzedni tekst, zobaczysz, że jest on bardzo uspakajający:

„Nikt, kto trwa w bezprawiu, nie widział Go ani Go nie poznał… Nikt, kto narodził się z Boga nie trwa w bezprawiu, gdyż trwa w nim nasienie Boże; taki nie może trwać w bezprawiu, bo się narodził z Boga."

Od czasu do czasu popełniamy grzechy, ale dlatego, że jesteśmy dziećmi Bożymi nawracamy się szybko, przyznajemy się do nich i wiemy, że jest nam przebaczone (Pierwszy List Św. Jana Apostoła 1:9). Zatem nie trwamy w ciągłym grzechu. Jan używa dwóch określeń, które opisują pracę Ducha Świętego. Mówi on, że jesteśmy „narodzeni z Boga" oraz „trwa w nas nasienie Boże". Jest tak, ponieważ jesteśmy „narodzeni z wysokości" albo „narodzeni z Ducha" (Ewangelia według Św. Jana 3:8), mamy nowe nastawienie do grzechu. Jest to następną wskazówką, że Duch Święty pracuje w naszym życiu. Dostajemy ten dar jako chrześcijanie.

## NOWE NASTAWIENIE DO LUDZI BOŻYCH

Inny dar Ducha Świętego, który zapewnia nas, że jesteśmy dziećmi Bożymi, to nowa miłość, jaką mamy dla ludzi Bożych. Bóg nawołuje nas do tego, a my odpowiadamy poprzez staranie się o to. „Umiłowani, jeśli Bóg nas tak umiłował, to i my winniśmy się wzajemnie miłować. Nikt nigdy Boga nie oglądał. Jeżeli miłujemy się wzajemnie, Bóg trwa w nas i miłość ku Niemu jest w nas doskonała" (Pierwszy List Św. Jana Apostoła 4:11,12). Oto jak opisuje to Jan. Gdybyś nie był chrześcijaninem, nie martwiłbyś się o to, czy twoi chrześcijańscy koledzy robią postępy w chrześcijańskim życiu czy nie. Nadal obchodziłaby Cię 'najważniejsza osoba'. Duch Święty pracuje w nas, aby pomóc nam wzajemnie się kochać.

Nie zrozum mnie źle, nie chcę sugerować, że jesteśmy jak puste dzbanki i że Bóg wlewa w nas te wszystkie rzeczy. Jesteśmy odpowiedzialnymi ludźmi i jesteśmy powołani do odpowiedzialnych czynów, a nie do „gaszenia Ducha" (Pierwszy List do Tesaloniczan 5:19), ani do „zasmucania Go" (List do Efezjan 4:30). Kiedy przestajemy zastanawiać się nad tym, co Bóg dla nas zrobił w Chrystusie, możemy czuć się jakbyśmy nie byli dziećmi Bożymi. Kiedy stajemy się nierozważni w naszym postępowaniu, możemy stracić pewność zbawienia. Lecz ponieważ Duch Święty pracuje w nas, powinniśmy zdecydowanie i konsekwentnie zacząć współpracować z Nim, a bardzo szybko zobaczymy wyniki w naszym życiu.

Wszystkie te aspekty nowego życia są obiektywne i łatwe do zaobserwowania. Śmierć Jezusa i zmiana w naszym nastawieniu są widoczne. W rozdziale tym opisałem, w jaki sposób możemy dodać sobie otuchy, kiedy nie czujemy się chrześcijanami. Dobrze, że nie dzieje się to zbyt często. Paweł mówi o jeszcze jednej pracy Ducha Świętego, która jest subiektywna i również dodaje otuchy.

### DOŚWIADCZENIE DODAJĄCE OTUCHY

Każdy zna te chwile, kiedy cud Bożej miłości staje się dla nas bardzo realny. W rzeczywistości jest to tak prawdziwe, że jest aż przytłaczające. Czułeś cud i ulgę, że zostały Ci przebaczone grzechy i że jesteś dzieckiem Boga. Znać Boga jako Ojca, jest to tak prawdziwe, że trudno jest znaleźć słowa opisujące naszą miłość do Niego.

Może być to w czasie odpowiedzi na Twoją modlitwę, czy też kiedy przypomnisz sobie, co Jezus zrobił dla Ciebie. Paweł mówi, że jest to jeszcze jeden dowód na pracę Ducha Świętego: „... w którym możemy wołać: *Abba*, Ojcze!" „Sam Duch wspiera swym świadectwem naszego ducha, że jesteśmy dziećmi Bożymi" (List do Rzymian 8:15b-16). 'Abba' jest wyrażeniem największej pieszczoty.

Bóg przemówił, aby nam dodać otuchy. On działa w naszym życiu przez śmierć Chrystusa i Jego zmartwychwstanie dla nas. On zadziałał przez Swojego Ducha Świętego, abyśmy mieli pewność.

Możesz mówić:

—To brzmi świetnie, ale nie wiesz, jak słaby jestem i jak nie można na mnie polegać. Wielu ludzi wahając się, przepuściło szansę stania się chrześcijanami, mając obawę, iż nie będą w stanie przetrwać. Ja ich dobrze rozumiem. Znając siebie, zgadzam się z nimi. Zdany na samego siebie, ja też bym nie przetrwał. Aczkolwiek ja nie jestem sam, mam zapewnienie pomocy Boga.

## 3. BOŻA OBIETNICA

Poza wszystkimi rzeczami, jakie Bóg uczynił, aby dać nam pewność, dał nam pewne obietnice na przyszłość. W Ewangelii Św. Jana 10:28,29, Jezus mówi: „i Ja daję im życie wieczne. Nie zginą one na wieki i nikt nie wyrwie ich z mojej ręki. Ojciec mój, który Mi je dał, jest większy od wszystkich. I nikt nie może ich wyrwać z ręki mego Ojca". A w Ewangelii Św. Jana 6:39: „Jest wolą Tego, który Mnie posłał, abym ze wszystkiego, co Mi dał, niczego nie stracił, ale żebym to wskrzesił w dniu ostatecznym."

Pisząc do Hebrajczyków, opisuje obietnice Boga w taki sposób: „Przeto i zbawić na wieki może całkowicie tych, którzy przez Niego zbliżają się do Boga, bo zawsze żyje, aby się wstawić za nimi"(List do Hebrajczyków 7:25).

Obietnice te cały czas dodają mi otuchy. Nie jest problemem jak silna jest moja zdolność do trzymania się Boga. Pytaniem jest, jak silny On jest w Jego zdolności trzymania mnie. Nikt nie jest silniejszy od Boga, nawet Ty sam. Nikt nas nie wyrwie z jego z Jego rąk. Czy to nie jest fantastyczne? Ponieważ jest taka wola Ojca, Jezus nie zgubi nikogo, kto był Mu dany przez Jego Ojca, możemy być pewni, że Jezus spełni wolę Swego Ojca. Przeniesie nas przez każdy dzień. Jest zdolny czynić to bez końca, gdyż nigdy nie przestaje modlić się za nas.

### ALE JA NIE JESTEM IDEALNY

Jednego wieczoru, po kazaniu Billy Grahama, rozmawiałem z grupą młodych ludzi, którzy oddali w czasie spotkania swoje życie Jezusowi Chrystusowi. Powiedziałem, dobrze byłoby wiedzieć na pewno, że jesteśmy chrześcijanami. Jedna dziewczyna rzekła:

—Naprawdę ciężko jest mi nie grzeszyć.

—Mnie nie jest ciężko — odpowiedziałem. — Dla mnie jest to niemożliwe.

—Więc, co będzie z nami?

—Wszystkim jest nam wybaczone. Krew Jezusa oczyszcza nas ze wszystkich grzechów

—próbowałem ją zapewnić.

—Ja myślałam, że ze wszystkich popełnionych do czasu, kiedy stałam się chrześcijanką.

—To by było dobrze, ale bezwarunkowo nie wystarczająco dobrze — wytłumaczyłem. — W żadnym wypadku nie możemy być idealni, z wyjątkiem tych chwil, kiedy odchodzimy, aby być z Jezusem.

—Jesteś tego pewien? — zapytała.

Razem zajrzeliśmy do wspaniałych obietnic, jakie Bóg nam dał.

—Co za ulga — powiedziała. — A ja tak się martwiłam. Zastanawiałam się tak naprawdę, czy jestem chrześcijanką, czy nie.

Jak ją dobrze rozumiałem. Często byłem w takiej sytuacji jak ona. Wiedziałem, jak się czuła. Jak ja jestem wdzięczny Bogu, że mogę mieć pewność.

Zdziwię się, jeżeli Ty również tak się nie czułeś. Pierwszy raz, kiedy popełniamy grzech po nawróceniu, jest dla nas wielkim szokiem. Możesz być pewien, że szatan będzie próbował powiedzieć ci, że nic tak naprawdę się nie zmieniło w Twoim życiu. Właśnie wtedy chrześcijanie są wprowadzani w zakłopotanie i zastanawiają się, czy muszą ponownie modlić się (jak w rozdziale dwunastym).

Pozwól mi użyć po raz wtóry ilustracji z małżeństwa. Kiedy dwoje ludzi pobiera się, dają sobie absolutne obietnice. Będą się kochać i szanować we wszystkich okolicznościach, i co więcej, będą tak robić zawsze. Od samego początku, jak tylko zaczną urzeczywistniać swoje obietnice, stanie się oczywiste, że jest to prostsze do powiedzenia, niż do zrealizowania. W najlepszym przypadku realizacja obietnic jest tylko zbliżona do postanowień. W najgorszym przypadku nie widać nawet śladu złożonych obietnic. Przypuśćmy, że mamy parę, która właśnie się pokłóciła. Co teraz muszą zrobić? Potrzebują przyznania się, przeproszenia i przebaczenia sobie nawzajem. Zrobią wszystko, ponieważ kochają się i ponieważ *dali* obietnicę. Nie muszą natomiast jeszcze raz się pobierać. Nawet podczas kłótni są nadal małżeństwem. Na trzecim palcu jest obrączka. Istnieje świadectwo małżeństwa. Są wszyscy świadkowie, którzy słyszeli obietnice i są (prawdopodobnie) dzieci. Jest dużo dowodów na to, że są małżeństwem. Jeżeli zależy im na dobrym związku, muszą przestać się kłócić, ale nie muszą zawierać małżeństwa po raz drugi. Kiedy oddaliśmy swoje życie Chrystusowi, nasze obietnice były głębokie i absolutne. Kiedy wprowadzamy nasze obietnice w życie, co najlepiej nam się udaje, to czynienie tego w przybliżeniu. Kiedy jednak ponosimy porażkę, musimy się przyznać i przeprosić. Bóg w swojej dobroci nam przebaczy. Jakkolwiek nie musisz raz jeszcze stawać się chrześcijaninem. Jest słowo Boże, są uczynki Boga i Jego obietnice. Wszystko to jest dla nas niezwykłym dowodem.

Bycie chrześcijaninem jest fundamentalnie inne od małżeństwa w jednym, bardzo ważnym aspekcie. Związku nie można rozwiązać. To jest na wieki, chwała za to.

# ROZDZIAŁ CZTERNASTY

## *Którędy naprzód?*

Kiedy ludzie się pobierają, nie wiedzą *wszystkiego* o sobie. Wiedzą wystarczająco, aby się wobec siebie zobowiązać w łączącym związku, żyjąc razem uczą się coraz więcej o sobie. Im więcej się uczą, tym bardziej są w stanie zadowolić drugą osobę (czy też odwrotnie). Więc związek jest zarówno rozwijający, jak też pogłębiający. Nie jest nieruchomy, albo się polepsza, albo się pogarsza.

Większość ludzi zanim wchodzi w związek małżeński jest dosyć niezależna i tylko siebie samych muszą zadowalać. Nie jest to drobiazgiem dla osoby, która nie musiała się martwić o nikogo innego z wyjątkiem 'najważniejszej osoby', nie musiała obiecywać, iż będzie kochać i szanować w chorobie i w zdrowiu kogoś innego. Obydwoje teraz muszą zmienić priorytety, teraz ta druga osoba musi stać się kimś ważnym, komu okazujemy troskę i oddanie.

Kiedy oddajemy nasze życie Jezusowi Chrystusowi jako naszemu Panu i Zbawcy, nasze nowe życie ma wiele wspólnego z tą sytuacją. Mówimy, że będziemy posłuszni Jezusowi. Ale co to znaczy w naszej sytuacji życiowej? Co Jezus chce, abyśmy zrobili? Aby odpowiedzieć na to pytanie, musimy Go poznać.

Pewnego niedzielnego poranka, piliśmy herbatę. Jedna z kobiet przyniosła mi filiżankę i powiedziała:

—Jestem pewna, że chce ci się pić po tak długim przemówieniu. (Nie byłem pewien, czy była to wzmianka o moim kazaniu!)

—Dziękuję — powiedziałem. — Czy to kawa, czy herbata?

—Herbata.

—Ja zwykle piję kawę, ale może być herbata. Och, z mlekiem. Ja zwykle piję bez, ale mogę wypić z mlekiem — powiedziałem.

—Dałam dwie łyżeczki cukru — rzekła.

—Ja tak naprawdę nie mogę pić z cukrem.

Jak widzisz, jestem tępym Australijczykiem. Gdybym był z Bliskiego Wschodu, uśmiechnąłbym się, wypił i jeszcze raz uśmiechnął.

Jest to drobnostka, ale czy widzisz, o co chodzi? Ta pani w swojej uprzejmości chciała mnie zadowolić i uczynki jej były kierowane uczuciami. Pomyślała nie tylko o tym, jak zrobić coś uprzejmego, ale również to uczyniła. Niestety, ponieważ nie wiedziała, co tak naprawdę mnie zadawala, rezultat był mniej niż zadowalający.

Konieczne jest, abyśmy poznali Jezusa jak najszybciej.

Dotychczas byliśmy w centrum naszego własnego życia. Sami wymyślaliśmy przepisy i decydowaliśmy, co jest dobre, a co złe dla nas. To nie jest mała poprawka zacząć żyć, stawiając kogoś innego na pierwszym miejscu. Od teraz to Chrystus musi zająć pierwsze miejsce w Twoim życiu.

Wiele lat temu byłem zaproszony na zebranie małej grupy mężczyzn, którzy spotykali się raz w tygodniu przez pół godziny, aby udzielić sobie wspólnie wsparcia w prowadzeniu chrześcijańskiego życia. Jeden z mężczyzn przyznał:

—Wiem, że w każdej sytuacji powinienem zachować się dokładnie tak, jak Pan Jezus. Moją prawdziwą trudnością jest to, że w większości sytuacji nie wiem, jak Jezus by się zachował. Uważam tę wypowiedź za głęboką. To było ponad czterdzieści lat temu i zastanawiam się, czy teraz powiedziałby:

—Moim prawdziwym problemem jest to, że wiem, co Jezus zrobiłby i ciężko jest mi postępować tak, jak On. To jest na pewno to, co ja był powiedział. Jest wiele sposobów, które mogą nam pomóc poznać Jezusa lepiej i słuchać Go.

## 1. CZYTAJĄC BIBLIĘ

Teraz, jak stałeś się chrześcijaninem, regularne czytanie Biblii musi być częścią Twojego życia.

### Co czyni Pismo Święte tak ważnym?

*a) Jest całe o Jezusie.* Jezus jest w centrum wszystkich planów Boga. W Ewangelii według Św. Mateusza autor opowiada, że Jezus mówił i czynił, aby „wypełniło się Pismo". Pisma te to Stary Testament.

Cały Nowy Testament ukazuje wypełnienie się proroctw Starego Testamentu w Jezusie, Królu, który wybawił ludzkość. Nowy Testament jest dla nas przewodnikiem, jak powinno wyglądać nasze życie w jedności z Nim.

Biblia jest księgą, z której czerpiemy informacje o Nim, a przez to wiemy, jak Go zadowolić. Czasem, kiedy czytasz Pismo Święte staje się to bardzo jasne. Kiedy czytasz Ewangelie, czy też listy z Nowego Testamentu, widzisz, że skupiają się bezpośrednio na Panu Jezusie. Czasem nie jest to tak łatwe do rozpoznania.

Stary Testament zajmuje się Bogiem nawołującym naród żydowski do służenia Mu. Stanowił przygotowanie do nadejścia Jezusa, który stał się wypełnieniem wszystkich obietnic Bożych dla tego narodu. On jest głównym tematem tej książki, więc kiedy otwieram moją Biblię, szukam Jezusa. Pytam się jej: „czego mogę dowiedzieć się o Jezusie?" Tragedią jest to, że niektórzy ludzie mają tę książkę, czytają ją, ale nadal nie rozpoznają Jezusa. Nie czytamy jej dla samego czytania. Jest sposobem, aby poznać Jezusa. A wiedza o Jezusie nie jest celem samym w sobie. Jest środkiem sprawiającym, iż uczymy się żyć według Bożych zasad, tak, aby nasze życie wypełniało posłuszeństwo Jezusowi.

*b) Jest to słowo Boże.* Chrześcijanie wierzą, iż Biblia jest słowem Bożym, ponieważ Jezus w to wierzył. Wielu chrześcijan odkryło, że kiedy teraz czytają Biblię, jest doprawdy zupełnie inna, niż była zanim stali się chrześcijanami. Usłyszysz Boga mówiącego poprzez stronice nie jako słyszalny głos, ale odkryjesz i poznasz, co jest o Nim napisane. Zanim stałem się chrześcijaninem, Pismo Święte nie wydawało mi się zbyt interesujące. Nie rozumiałem go ani nie miałem żadnej przyjemności czytając je. Kiedy stałem się chrześcijaninem, miałem uczucie, że dostałem nowe życie. Tutaj, na kartach Biblii znalazłem Boga. Nie zawsze wszystko rozumiałem, ale znacznie więcej niż przedtem. Boży Duch Święty żył teraz w moim życiu i uczył mnie.

Twoje doświadczenie może nie być takie samo jak moje. Ale Ty też spotkasz Boga na stronicach Pisma Świętego i jak będziesz Go poznawał coraz lepiej, Wasza przyjaźń będzie wzrastać.

Wielu ludzi w naszych czasach nie wierzy, że Biblia jest słowem Boga. Niektórzy ją odrzucają. Inni negują niektóre jej części. Warto spędzić trochę czasu, poznając nastawienie Jezusa do Pisma Świętego. Uznając Jezusa jako naszego Pana, wierzymy w to, w co On wierzy.

Dla Jezusa Pismo [Stary Testament] było słowem Bożym. Bóg mówił przez nie (Ewangelia według Św. Mateusza 19:4,5). Było obowiązujące i musi być wypełnione. Jezus powiedział: „Musi się wypełnić wszystko, co napisane jest o Mnie w Prawie Mojżesza, u proroków i w Psalmach" (Ewangelia według Św. Łukasza 24:44). Pisma nie można odrzucić (Ewangelia według Św. Jana 10:35). Jest powtarzające się wyrażenie, używane przez pisarzy Ewangelii: [On to zrobił] „... aby się wypełniło Pismo" (Ewangelia według Św. Jana 13:18; 19:36).

Jezus był w stanie oprzeć się pokusie szatana przez zrozumienie i posłuszeństwo Pismu. Za każdym razem, kiedy był kuszony, mówił: „napisane jest" (Ewangelia według Św. Mateusza 4:4,7,10). To, co mówiła Biblia, dla Jezusa było jednoznaczne z głosem Boga (Ewangelia według Św. Łukasza 4:4).

Kiedy Jezus odwoływał się do Pisma, odnosił się do Starego Testamentu. Nowy Testament powstał dopiero po powrocie Jezusa do nieba.

Podczas Ostatniej Wieczerzy Jezus obiecał, że wyśle Ducha Świętego do apostołów aby był ich przewodnikiem, to dzięki Niemu:

• zapamiętają wszystko, co Jezus im powiedział (Ewangelia według Św. Jana 14:26)

• poznają całą prawdę (Ewangelia według Św. Jana 16:13)

• będą uczeni przez Niego (Ewangelia według Św. Jana 14:26)

Możemy być pewni, iż Nowy Testament jest równie rzeczywistym słowem Boga, jak Stary Testament.

c) *Być wiernym pomoże nam.* Idąc za przykładem Pana, apostołowie wierzyli, że Biblia była słowem Bożym. Oto wypowiedź Świętego Pawła: „Wszelkie Pismo od Boga natchnione [jest] i pożyteczne do nauczania, do przekonywania, do poprawiania, do kształcenia w sprawiedliwości — aby człowiek Boży był doskonały, przysposobiony do każdego dobrego czynu" (Drugi List do Tymoteusza 3:16,17).

Co Biblia może zrobić dla nas? Paweł mówi, że będzie *uczyć* nas o Bogu i o tym, jak powinnyśmy prowadzić chrześcijańskie życie. Daje nam ona wszystkie informacje, jakich potrzebujemy, aby wzrastać. Na drodze życia jest mapą wskazującą nam, dokąd iść. Jeżeli zboczymy z drogi przez niedbalstwo i ignorancję, *upomni nas*. Nie będziemy zostawieni sami na rozdrożach.

Będzie nas poprawiać, pokaże nam drogę powrotną na główny szlak. Księga ta *kształci* nas w sprawiedliwości. Co może być bardziej wartościowe? Nie ma co się dziwić, że jest bestsellerem, jeśli może zapewnić nam to wszystko. Paweł wyciąga z tego wniosek, mówiąc, że Biblia *przysposobi* nas do wszystkiego, co jest sprawiedliwe, słuchając jej będziemy wiedzieli, jak czynić dobro.

Biblia jest słowem Boga. Kiedy czytasz tę księgę, poznajesz, jak powinieneś prowadzić swoje życie. Możesz przekonać się, jak ważne jest czytanie Pisma Świętego. Uwierz, że szatan zrobi wszystko, co tylko jest możliwe, aby Cię powstrzymać. Będzie chciał zabić w Tobie pragnienie wzrastania w wierze i wierności Jezusowi Chrystusowi. Jego zamiarem jest powstrzymanie Twojego wzrostu.

Nie spraw mu tej przyjemności.

### Jak to użyć

Jeżeli chodzi o używanie Biblii, są rzeczy, które powinniśmy zapamiętać. Ważne jest, abyśmy ją studiowali:

*a) Poważnie*

Bóg postarał się, aby przynieść nam Biblię i zawiera ona dokładnie to, co On chciał powiedzieć. Autorzy jej są różnego pochodzenia i dzielą ich setki lat, jednakże jej temat jest taki sam. Pomagał im Duch Święty, aby słowo Boże dzisiaj było z nami. Jeśli Bóg zrobił to dla nas, powinniśmy czytać ją uważnie. To, co Biblia mówi, mówi Bóg. Nie jest to księga czarów, ale księga natchniona. Oznacza to, iż powinnyśmy poważnie potraktować jej treść.

Bóg mówi: „Ale Ja patrzę na tego, który jest biedny i zgnębiony na duchu, i który z drżeniem czci Moje słowo" (Księga Izajasza 66:2).

*b) Posłusznie*

Apostoł Jakub mówi: „Wprowadzajcie zaś słowo w czyn, a nie bądźcie tylko słuchaczami oszukującymi samych siebie" (List Św. Jakuba Apostoła 1:22).

Jeśli jest to słowo Boga, powinniśmy podejść do Biblii w duchu pokory i posłuszeństwa, czekając na Ducha Świętego, aby nas uczył jej prawdziwego znaczenia. Jest to książka, która będzie zrozumiana tylko przez tych, którzy są jej posłuszni. Jezus powiedział: „Jeśli ktoś chce pełnić Jego wolę, pozna, czy nauka ta jest od Boga, czy też Ja mówię od samego siebie" (Ewangelia według Św. Jana 7:17). Jest to interesujący komentarz. Tylko ci, którzy pragną słuchać Boga, rozpoznają, że nauka Jezusa pochodzi od Boga. Jest to podstawą chrześcijańskiego życia. Ci, którzy usłuchają, poznają więcej. Ci, którzy nie usłuchają, będą wiedzieli coraz mniej i mniej.

Zobaczysz, że bycie chrześcijaninem nie ma związku ze zdolnościami (w innym przypadku byłoby mniej chrześcijan).

Jednak bycie zdolnym nie stanowi przeszkody, o ile nie sprawia, że ludzie nabierają fałszywej dumy na myśl o ich własnej wartości w chrześcijańskim życiu. Wtedy jest to zagrożeniem. Bycie zwykłym człowiekiem nie jest przeszkodą w prawdziwym zrozumieniu orędzia Biblii.

Zauważyłem to pewnego wieczoru, w trakcie obiadu dla członków kościoła. Wdałem się w rozmowę z młodym człowiekiem, który jak się domyślam, był nazwany „powolnym w nauce". Zapytał mnie:

—Jaką część Biblii studiowałeś ostatnio?

Odpowiedziałem, że właśnie skończyłem pracować nad Listem do Hebrajczyków.

—To wydało mi się zbyt trudne dla mnie. Czy zrozumiałeś go? — zapytał.

Powiedziałem mu, że byłem trochę niepewny, co do niektórych fragmentów, lecz ogólnie mówiąc, zrozumiałem całość. Zapytałem, co on ostatnio czytał.

—Opracowuję List do Rzymian — powiedział.

—Czy rozumiesz go? — zapytałem. Sam nie uważam, aby była to najłatwiejsza część Biblii, ciekawił mnie jego komentarz.

—Nie wszystko. Ale czytałem to raz po razie i za każdym razem rozumiem więcej niż poprzednio. Zamierzam dotąd czytać, aż naprawdę będę wiedział, co to znaczy."

Myślę, że prawdopodobnie i Ty też.

### c) Aby odnaleźć Jezusa

Już zaznaczyłem, że Biblia jest cała o Jezusie. Więc czytamy ją, aby znaleźć Jezusa.

Pewnego razu Jezus powiedział do grupy religijnych ludzi: „Badacie Pisma, ponieważ sądzicie, że w nich zawarte jest życie wieczne: to one właśnie dają o Mnie Świadectwo. A przecież nie chcecie przyjść do Mnie, aby mieć życie" (Ewangelia według Św. Jana 5:39,40). Co za tragedia! Myśleli, że samo czytanie Pisma Świętego zdobędzie dla nich życie wieczne. Oni przeczytali i przeoczyli całą pointę. Nie wiedzieli, że wszystko to było o Jezusie.

Pierwsze pytanie, jakie muszę zadać czytając Biblię to: „co mówi mi ona o Jezusie?" Kiedy znajdę odpowiedź, następnym pytaniem będzie: „co muszę zrobić, żeby Go zadowolić?" Musimy coś *zrobić* jako efekt czytania.

Nie martw się, jeśli nie zawsze wszystko zrozumiesz. Zanotuj trudne fragmenty i poproś innego chrześcijanina, aby Ci pomógł. Druga osoba będzie w stanie zrozumieć pewne części lepiej niż Ty i odwrotnie. Nie obawiaj się przyznać, że nie rozumiesz czegoś, łatwiej zdobyć wyjaśnienie, kiedy nie próbujemy udawać.

Kiedy znajdziesz prawdziwie zachwycające fragmenty w Biblii, warto je zanotować, abyś mógł podzielić się nimi z innymi ludźmi. Będzie to dla nich pomocne i wywrze na Tobie głębsze wrażenie.

### Gdzie zacząć

Kiedy zaczynasz czytać większość książek, nie ma problemu z tym, gdzie zacząć. Zaczynasz od pierwszego rozdziału — od początku.

Biblia nie jest dokładnie taka, ponieważ jest właściwie zbiorem książek złączonych w jedną całość.

Początkującym radzę rozpocząć czytanie Biblii od ksiąg Nowego Testamentu, Ewangelii według Świętego Mateusza, Marka, Łukasza i Jana. W nich poznajemy słowa i czyny Jezusa opisane jaśniej niż gdzie indziej. Kiedy skończysz je czytać, możesz przejść do Dziejów Apostolskich, księgi, która mówi nam o historii wczesnych chrześcijan. Następnie polecam z Ksiąg Starego Testamentu Księgę Rodzaju i Księgę Wyjścia, które opowiadają o początku świata, buncie człowieka i planie Bożym dla Jego ludu. Następnie wróciłbym do Nowego Testamentu, do Listu do Rzymian.

Sugeruję, abyś porozmawiał ze swoimi chrześcijańskimi przyjaciółmi o tym, jak oni czytają Biblię. The Bible Society i Scripture Union mają programy czytania Pisma Świętego i notatki do pomocy. Niektóre kościoły mają swoje własne materiały.

Przez wiele lat moim nawykiem było czytanie niektórych części Biblii codziennie, a nie tylko, kiedy miałem na to ochotę (czy też przypomniałem sobie). Czasem czytam kilka rozdziałów, a czasem tylko kilka wersetów. Przeważnie zaraz, jak tylko wstanę rano. Zachęcam Cię, abyś znalazł czas i miejsce każdego dnia, kiedy spokojnie będziesz mógł usiąść i poczytać. Jeśli nie masz Biblii, im wcześniej ją kupisz, tym lepiej. Kup nowoczesne tłumaczenie. Jest ich dużo na rynku. Ja cytowałem z *New International Version,** która mi odpowiada. Pomaga mi też prowadzenie zeszytu, w którym zapisuję odpowiedzi na moje pytania. Gdy znajduję naprawdę pomocny werset, często go podkreślam, aby był łatwiejszy do znalezienia, kiedy będę go szukał następnym razem. Próbuję nauczyć się na pamięć tych, które są według mnie bardzo ważne.

Jednakże, w swoim czasie będziesz w stanie znaleźć odpowiedni czas, miejsce i sposób, który będzie dla Ciebie najlepszy. Ale cokolwiek by się działo, zacznij jak najwcześniej.

---

\* Polska wersja Pisma Świętego cytowanego w tym tłumaczeniu to: Biblia Tysiąclecia, Wydanie Trzecie Poprawione, Wydawnictwo Pallottium, 1980.

## 2. MODLITWA

Jeśli Biblia jest środkiem, przez który Bóg mówi do nas, to sposobem, jakim my mówimy do Niego jest modlitwa. Jest to najnaturalniejszy sposób dla nas do zjednania sobie przyjaźni z Bogiem i nic nie przypomina tego lepiej niż modlitwa.

Byłby to prawdziwie dziwny związek, gdybyśmy nie mówili do Boga. Zanim stałem się chrześcijaninem, czasami mówiłem pacierze, ale nigdy nie przyszło mi do głowy, że można odnosić się do Boga jak do prawdziwego przyjaciela. Uważałem, że Bóg był prawdopodobnie dość zajęty i nie chciał, aby Mu przeszkadzano. Nic nie jest dalsze od prawdy. Skargą Boga na Izrael było to, że pomimo, iż zrobił On dla nich tak dużo, „Lecz ty, Jakubie, nie wzywałeś Mnie" (Księga Izajasza 43:22). Apostoł Paweł mówi do Tesaloniczan: „nieustannie się módlcie" (Pierwszy List do Tesaloniczan 5:17).

### Przykład Jezusa

Jezus nie tylko jest Synem Bożym, ale jest On też idealną osobą, jest przykładem dla naszego życia. Biblia często pokazuje nam Jezusa w trakcie modlitwy. W momentach najtrudniejszej próby (Ew. według Św. Mateusza 11:25; 26:39) oraz też w czasie, kiedy jego życie było pełne zajęć, odchodził do cichego miejsca, aby się pomodlić (Ewangelia według Św. Łukasza 4:42; Mateusza 14:23; Marka 1:35). Był to Jego własny przykład modlitwy, który sprawił, że apostołowie zapragnęli nauczyć się modlić. Stało się to poprzez Modlitwę Pańską (Ewangelia według Świętego Łukasza 11:1–4), powtórzył to w dwóch przypowieściach o modlitwie (Ewangelia według Św. Łukasza 11:5–7 i 11:11–13) i w tych słowach zachęty:

„Proście, a będzie wam dane; szukajcie, a znajdziecie; kołaczcie, a otworzą wam" (Ewangelia według Św. Łukasza 11:9).

Modlił się On za Swoich uczniów (Ewangelia według Św. Łukasza 22:32; Ewangelia według Św. Jana 17:9). Modlił się w czasie wielkiej radości (Ewangelia według Św. Marka 6:39–46) i kiedy musiały być podjęte ważne decyzje (Ewangelia według Św. Łukasza 6:12–13). Modlił się w momentach, kiedy miały miejsce wielkie czyny (Ewangelia według Św. Jana 11:41). Był to wzór Jego życia.

### Jak się modlić

Każda chwila jest dobra na modlitwę. Często podczas dnia zajęty jestem czynnościami, które nie wymagają dużo myślenia. Często rozmawiam z Bogiem w tych chwilach (pomimo tego, że zrezygnowałem z zamykania oczu, szczególnie, kiedy prowadzę samochód!) i tak jak każdemu przyjacielowi, zwierzam się Mu w dobrych i w trudnych chwilach. Mówię Mu o moich nadziejach i dążeniach, o moich obawach i problemach. Ponieważ jest On tym, kim jest, często proszę o pomoc dla moich przyjaciół i innych krajów.

Im więcej czytam Biblię, tym bardziej jestem zachęcony do proszenia o „duże rzeczy". Uważałem kiedyś, że nie jest odpowiednie zawsze prosić o coś w modlitwie, ale później zorientowałem się, że każda część Modlitwy Pańskiej to prośba (Ewangelia według Św. Łukasza 11:1–4) i odkryłem iż im więcej proszę, tym bardziej oddaję Bogu honor. Kiedy modlę się o pokój w północnej Irlandii (o co często się modlę), mówię: „Boże, wierzę, iż masz władzę nad historią i możesz działać w życiu ludzi i przynieść pokój w chaosie." Nawet prosta modlitwa o deszcz oddaje honor Bogu, ponieważ jej podstawą jest to, iż Bóg może to uczynić, bo jest Panem świata. Jeśli zapomnę podziękować Bogu za jedzenie, potem zapomnę, że Bóg mi je dał i przyjmę to za rzecz naturalną.

**Czy zawsze otrzymujesz odpowiedź?**
Spotkałem mężczyznę, który powiedział mi, że zrezygnował z modlitwy, ponieważ nigdy nie otrzymał tego, o co prosił. Mógł być tylko jeden powód. Musiał zawsze prosić o nieodpowiednie rzeczy.

Nie ma wątpliwości, że Bóg zawsze słyszy modlitwy Swoich ludzi i *zawsze* na nie odpowiada. Aczkolwiek, nie trzeba zakładać, że zawsze otrzymamy to, o co poprosimy.

Odpowiedź Boga zawsze będzie dla nas dobra. Bóg obiecał nam to.

Czasem uważamy, iż wiemy, co jest najlepsze dla nas i jak często się mylimy. Nikt z nas nie jest mądrzejszy od Boga. Nie ma powodu, aby dawał nam możliwość manipulowania Swoimi decyzjami. Ma On w Swoim sercu cały czas najlepsze zamiary względem nas. Tak, jak każdy odpowiedzialny ojciec, Bóg odpowiada na naszą modlitwę na trzy sposoby. Może powiedzieć „tak", „nie", czy też „jeszcze nie teraz". Na wszystkie moje modlitwy dostałem odpowiedź w taki sposób. Mówię to, bo często, gdy słyszę jak chrześcijanie wypowiadają się, można odnieść wrażenie, iż Bóg zawsze mówi „tak". Tak nie jest. Jeśli prosimy Boga, aby zrobił coś, co jest przeciwko Jego objawionej woli, możemy być pewni, iż odpowiedzią będzie „nie". Więc, kiedy już wiesz, jaka będzie odpowiedź, nie ma sensu prosić dalej.

Kiedy mówię, że Bóg odpowiada na nasze modlitwy, nie chcę,

abyś odniósł wrażenie, że usłyszysz głos mówiący do Ciebie. Bez względu na to, że niektórzy ludzie twierdzą, że słyszeli 'głos', nigdy nie było to moim doświadczeniem. Biblia nie sugeruje, że tak się stanie. Bóg normalnie odpowiada na nasze modlitwy poprzez okoliczności życiowe lub przez wzbogaconą wiedzę o Nim. Ponieważ ma On do dyspozycji cały świat, odpowie Ci w taki sposób, który rozpoznasz i zrozumiesz.

Jest tylko jedna rzecz, na którą nie ma wcale odpowiedzi, wtedy, kiedy prosimy Boga, aby zrobił coś, co jest przeciwko Jego woli. Kiedy już znasz odpowiedź, nie trać czasu.

### Wyznaczony czas i miejsca

Przy modlitwach o różnych porach dnia, pomocne mi jest wyznaczenie czasu, kiedy się modlę. Dobrą porą jest moment po czytaniu Biblii i na tym zwykle się wzoruję. Zaczynam od dziękowania Bogu za to, kim On jest i za to, co dla mnie zrobił. Następnie zwierzam się z tego, co mnie martwi, zwłaszcza, gdy zrobiłem coś złego. Po czym modlę się za innych ludzi, wliczając członków mojej rodziny i tych, którzy są zajęci głoszeniem Ewangelii. Pod koniec modlę się za siebie (osobę, o której nigdy nie zapominam! Czy możesz w to uwierzyć?)

Próbuję trzymać listę moich próśb, abym nie zapomniał podziękować Bogu, kiedy mi na nie odpowiada.

### Módl się sam i z innymi

Nie tylko modlę się sam, ale od czasu do czasu pomaga mi modlitwa z innymi. Możecie modlić się o Wasze wspólne problemy. Może masz jakichś chrześcijańskich przyjaciół, którzy z przyjemnością pomodlą się z Tobą, lub też być może będziesz mógł modlić się ze swoją rodziną.

## 3. SPOTKANIA Z KOŚCIOŁEM

Kiedy Bóg stworzył ludzkość, Jego objawionym zamiarem było, abyśmy byli „na Jego podobieństwo" i „mieli władzę nad stworzeniem" (Księga Rodzaju 1:26). Jego zamia-rem było mieć ludzi, którzy żyliby razem, odzwierciedlając indywidualnie, jak również masow, Jego charakter; ludzi, którzy rządziliby światem pod Jego władzą.

Tak jak wiemy, było to tymczasowo przerwane przez ludzkość, która odwróciła się od swojego Boga. On to, przez Jezusa nawołuje z powrotem do Siebie ludzi, którzy będą żyć dla „chwały Jego majestatu" (List do Efezjan 1:12). Wchodzimy we wspólnotę z Bogiem indywidualnie, ale od razu stajemy się członkami Bożej rodziny, kościoła. Każdy z nas rodzi się samodzielnie, ale nie jest w stanie przeżyć bez opieki. Nie możemy samych siebie podtrzymywać przy życiu.

Biblia nie zna chrześcijan typu 'samotnik'. Chrześcijaństwo jest osobiste, ale *nie* prywatne. Ktoś mówiący: „jestem człowiekiem Chrystusa, ale nigdy nie spotykam się z kościołem", sam sobie zaprzecza. Taka osoba nie rozumie Bożego planu.

Oczywiście pomoże nam to wzrastać w siłę jako chrześcijanie, kiedy spotykamy się z ludźmi Bożymi. Użyłem słowa 'kościół', mając na myśli chrześcijan, którzy spotykają się razem. Tylko nigdy nie pomyl budynku z kościołem. Budynek tak naprawdę chroni chrześcijan przed deszczem, kiedy spotykają się w kościele.

Kiedy stajesz się chrześcijaninem, nie tylko stajesz się przyjacielem Boga, ale stajesz się członkiem Bożej rodziny i tak jak w Twojej własnej rodzinie, nie masz wyboru co do Twoich braci i sióstr. Tak samo jest z rodziną Boga — kościołem.

Gdybym ja nadzorował wybór członków kościoła, do którego chodzę, nie wybrałbym ich wszystkich i jestem przekonany, że z całą pewnością nie wybraliby mnie! Aczkolwiek im więcej się z nimi spotykam i widzę, co Bóg w nich i z nimi czyni, tym bardziej ich doceniam i zachwycam się, jak naprawdę wielki jest Bóg. Pozwól mi, że powiem Ci o nich i o tym, dlaczego lubię się z nimi spotykać.

Po pierwsze, jest tam mój pastor. Jego głównym zadaniem jest uczyć nas Biblii i nawoływać nas do posłuszeństwa dla niej. Wyraźnie widzę, że naprawdę pracuje nad tym ciężko i uważam, że jestem szczęśliwcem, iż go mam. On nie jest jedynym, który uczy. Jest jeszcze parę innych osób, które się tym zajmują. Wspierają oni tę pracę i służą swoją wiedzą. W naszym kościele niektórzy ludzie mają prawdziwe problemy i są dla mnie natchnieniem poprzez to, w jaki sposób idą do przodu i zwracają się do Jezusa o pomoc. Wystarczy, że znajomość z nimi pomaga mi prowadzić chrześcijańskie życie.

Niektórzy z członków naszego kościoła są od niedawna chrześcijanami, tak jak Ty. Ich przyłączenie się do nas było tak radosne, jak każde nowe narodziny w rodzinie. Nie wiem, czy czujesz się niepewnie w swoim nowym kościele. Uważam, że wszystkie 'niemowlaki' tak się czują. Jednak wszyscy cieszą się z Twojej obecności.

W naszym kościele są ludzie posiadający prawdziwe talenty. Niektórzy z nich grają na instrumentach muzycznych, niektórzy uczą dzieci w szkole, prowadzą zajęcia dla nas wszystkich. Jest nas dużo, tak jak w każdej rodzinie. Jesteśmy zwykłymi ludźmi, tak, jak w każdym kościele. Niektórzy z nas są starzy, niektórzy w średnim wieku, a niektórzy jeszcze zupełnie młodzi. Są tacy, którzy już wiele lat są chrześcijanami i ja naprawdę bardzo się cieszę, że mogę z nimi spędzać czas.

To, co najbardziej mi się podoba w naszej kościelnej rodzinie to, iż oni naprawdę starają się wzrastać jak Jezus i zachęcają mnie do tego samego. Często mówią mi, że modlą się za mnie, a to jest dla mnie bardzo ważne. Tak, jak w każdej rodzinie, nie zawsze się zgadzamy i kiedy tak się zdarza, staramy się naprawić nasze błędy. Kiedy spotykamy się jako kościół, spotkanie nasze jest całkowicie formalne, ale spotykamy się również w mniejszych, mniej formalnych grupach. Te spotkania są dla mnie bardzo ważne, dają mi poczucie, że nie jestem sam.

### Każdy jest pastorem

Pismo Święte mówi, iż wszyscy chrześcijanie mają dary, które mogą używać na forum rodziny. Kiedy spotykamy się oficjalnie i nieoficjalnie, powinniśmy pomagać sobie wzajemnie wzrastać jak Chrystus (zobacz List do Efezjan 4:11–14). Mamy pełnić obowiązki duszpasterskie wobec siebie, a to oznacza służenie sobie nawzajem. Mamy etatowych pastorów, ale prawdę mówiąc wszyscy powinnyśmy służyć sobie nawzajem.

Biblia określa rodzaj naszych darów od Boga, ale uważam, że nie musimy się za bardzo troszczyć o to na tym etapie. To, co wszyscy powinniśmy wiedzieć to, że dary te mają służyć temu, abyśmy wszyscy wzrastali jak Jezus. Bardziej pomocne jest dla mnie zadanie sobie pytania: „co ja mogę zrobić, aby teraz pomóc tym ludziom wzrastać jak Chrystus?" niż „ciekawe, co naprawdę jest moim darem?" Jeśli zadam pierwsze pytanie, możesz być pewien, że zacznę używać moich darów, nawet jeśli nie wiem jak je nazwać.

Kościół nie jest miejscem, gdzie niektórzy występują, a inni są tylko widzami. Kiedy wspólnie spędzamy czas, wszyscy powinniśmy dzielić się ze sobą wzajemnie darami.

**Słowo ostrzeżenia**

Nie 'stawiaj' nikogo w kościele na piedestale, nie miej romantycznego wyobrażenia o tym, jacy będą. Są zwykłymi ludźmi jak my. Widziałem małą naklejkę na tyle samochodu, która mówiła: „chrześcijanie nie są idealni, po prostu jest im przebaczone". To jest prawdą. My wszyscy pracujemy nad wzrastaniem jak Jezus, niektórzy z nas zrobili większe, inni mniejsze postępy.

Są w kościele ludzie, którzy jeszcze nie są chrześcijanami. Jeszcze tak naprawdę nie są częścią rodziny. Więc nie pozwól, aby Cię wprowadzili w błąd. Niektórzy ludzie opowiadali mi o złych doświadczeniach, jakie mieli w kościołach, do których chodzili. Przykro mi z tego powodu. Ja nigdy nie spotkałem się z tym. Członkowie mojego Kościoła zawsze pomagali mi wzrastać w moim chrześcijańskim życiu.

**Który?**

Jeśli nie miałeś zwyczaju chodzić do kościoła i teraz podejmujesz wybór, mogę spróbować Ci pomóc. Moim problemem jest to, iż jestem uprzedzony. Uważam, że kościół, do którego ja chodzę, jest najlepszy!

Jeśli masz chrześcijańskich przyjaciół, może zechcesz pójść z nimi. Natomiast, jeśli nie masz, szukaj takiego, gdzie nauczyciele wierzą, że Biblia jest słowem Bożym i starannie tego uczą. Niestety nie mogę tego powiedzieć o wszystkich kościołach, więc sprawdź. Jeśli masz wątpliwości, zapytaj.

Jeżeli nauka z Biblii nie jest prawidłowo nauczana, członkowie nie będą wiedzieli, jak używac swoich darów. Poproś Boga, aby Ci pomógł w tej decyzji, ale namawiam Cię, abyś oparł się pokusie zostania w domu. Nikt z nas nie jest samowystarczalny, potrzebujemy innych, a oni potrzebują nas.

**Kościół w pracy**

Może w Twojej pracy chrześcijanie spotykają się razem i wspierają się wzajemnie. W większości szkół, gdzie uczyłem, mieliśmy chrześcijańskie stowarzyszenie nauczycieli i dzieci, którzy spotykali się na dużej przerwie raz w tygodniu. Prawdopodobnie znajdziesz szczegóły podobnych spotkań na plakatach, koło których przechodziłeś setki razy i na które pewnie nie zwracałeś uwagi.

## 4. DZIEL SIĘ CHRYSTUSEM Z INNYMI

Dzielić się Chrystusem i Twoim nowym życiem jako chrześcijanin z innymi jest wielkim przywilejem, jak również i odpowiedzialnością. Nie ma wątpliwości, że Bóg chce, aby inni wiedzieli o Jezusie, a miłość do Boga, jak również miłość do bliźniego sprawi, że będziemy chcieli im o tym powiedzieć. Dla niektórych jest to trudniejsze niż dla innych. Nie ma wątpliwości, że po jakimś czasie, gdy zaczniesz swoje nowe życie, Twoi znajomi i rodzina zauważą zmianę i zapytają Cię o powód. Będziesz miał szansę, aby im powiedzieć o tym, co Jezus zrobił dla Ciebie i dla nich też. Nie mogę zagwarantować ich reakcji, ale wydaje mi się, że zareagują tak jak Ty, kiedy po raz pierwszy to usłyszałeś!

Najszybciej, jak tylko możesz, powinieneś nauczyć się Ewangelii (dobrej nowiny), abyś mógł im to wytłumaczyć. Napisałem książkę dla chrześcijan, aby im pomóc to zrobić. Jest zatytułowana *„Znaj i opowiedz o Ewangelii" („Know and Tell the Gospel"* Matthias Media). Ale nie czekaj, aż ją przeczytasz, zacznij od teraz. Może Ci być pomocna historia w Ewangelii Św. Jana 9:1–41. Człowiek ten nie wiedział zbyt wiele, ale coś wiedział.

—Jedno wiem. Byłem niewidomy, a teraz widzę — powiedział do swoim przyjaciół.

Zacznij się modlić, abyś miał szansę opowiedzenia Twoim znajomym o Jezusie i aby Bóg pokazał Ci, kiedy taka chwila nadejdzie.

### Nie zniechęcaj się

Pięcioletni Michał po raz pierwszy poszedł do szkoły. Był uradowany na samą myśl o szkole i podekscytowany, kiedy nareszcie nadszedł ten dzień. Był zadowolony, że mógł tu przyjść. Kiedy jego ojciec przyszedł go odebrać o trzeciej po południu, zapytał Michała:

—Jak ci poszło?

Tata był lekko wstrząśnięty jego odpowiedzią:

—Było beznadziejnie.

—Co się stało? — zapytał zmartwiony ojciec.

—Byłem w szkole cały dzień i *nadal* nie umiem czytać ani pisać — padła zniecierpliwiona odpowiedź.

W chrześcijańskim życiu nie będziesz „czytał i pisał" po pierwszym dniu. Michał teraz nie ma żadnych kłopotów z czytaniem i pisaniem, ale jest już w połowie szkoły średniej. Tak będzie i z Tobą. Nie staniesz się wierny w jednej chwili i to może na początku wydawać się trudne. Po pewnym czasie zaczniesz robić systematyczne postępy, jeśli będziesz pracował nad dziedzinami, jakie zasugerowałem: czytaniem Biblii, modlitwą i wspólnotą z innymi chrześcijanami.

Kiedy oddajemy nasze życie Chrystusowi, zapisuje On nas jako uczniów. Nikt z nas nigdy nie przestaje się uczyć. Spędzamy życie ucząc się, aby być dobrymi uczniami Jezusa. Chrześcijaninem możesz stać się w jednym momencie, ale spędzisz całe życie ucząc się prowadzić swoje chrześcijańskie życie.

Jest to bardzo podobne do małżeństwa w najlepszym rodzaju.

Ty mówisz „tak". To tylko zajmuje moment. Spędzasz resztę życia ucząc się żyć z konsekwencjami tej obietnicy.

Chrześcijańskie życie jest dla mnie dosyć trudne, ale bardzo, bardzo zadowalające. Baw się dobrze!

# P. S.…

CHCĘ ZAKOŃCZYĆ TĘ KSIĄŻKĘ optymistycznie. Chrześcijanie są często krytykowani za to, że są skupieni na Niebie, co nie ma użytku na Ziemi. Ja takim być nie chcę. Żyję w świecie, gdzie jest dużo biedy, chorób i nieszczęścia, gdzie bezradni ludzie nie mogą się oprzeć niesprawiedliwym siłom wokół nich. Żyję w świecie, gdzie nie ma zbyt dużo wiary w żyjącego Boga. Ja nie chcę być bezużytecznym, religijnym człowiekiem bez nadziei.

Mamy odpowiedzialności i zobowiązania na tym świecie. Musimy „czynić dobrze wszystkim, a zwłaszcza naszym braciom w wierze" (List do Galatów 6:10). Największą potrzebą każdego jest przyjście do Chrystusa. Nie ma w tym wątpliwości. Nie jest to jednak ich jedyną potrzebą i nie byłoby to sprawiedliwe, gdybyśmy udawali, że tak nie jest.

Bóg troszczy się o każdy aspekt naszego życia. Jest On zainteresowany małżeństwem, życiem rodzinnym, pracą, kościołem i ogólnie społeczeństwem. W rzeczywistości to Bóg ustanowił te rzeczy. Nie pozostawił nas w ciemności, jeżeli chodzi o to, w jaki sposób chce, abyśmy się zachowywali w każdym aspekcie życie. Pozwól, że opiszę chrześcijańską parę, aby pokazać, co mam na myśli.

Jan i Maria są małżeństwem od dziesięciu lat. Mają dwoje dzieci. Rodzice Jana nie żyją, jak również matka Marii. Jan jest handlarzem, Maria pracuje na pół etatu w lokalnym sklepie i opiekuje się rodziną. Kilka lat temu oddali swoje życie Chrystusowi. Pismo Święte mówi wyraźnie, jak mąż i żona powinni się nawzajem traktować. Biblia uczy ich, jakimi powinni być rodzicami, jak powinni się odnosić do dzieci. Nie prowadzą jednak oni odosobnionego, odizolowanego życia. Obydwoje są obywatelami Australii i członkami swojego kościoła. Obydwoje są zatrudnieni. Razem należą do lokalnego klubu tenisowego i Komitetu Rodzicielskiego w lokalnej szkole. Są odpowiedzialni za ojca Marii. To, jak prowadzą swoje życia jest ważne dla Boga i On troszczy się o nich. Całe ich życie jest pod kontrolą Jezusa. Biblia ma dla nich informacje o wszystkich dziedzinach ich życia na tym świecie.

Kiedy stajemy się chrześcijanami, większość z nas ma mało wiedzy o tym, czego Bóg od nas oczekuje. Niektóre aspekty życiowe są łatwe do porównania, jak na przykład wykonanie pracy z entuzjazmem, która tak naprawdę jest dla nas nudna. Nie stajemy się nagle przeobrażeni w ludzi, którzy zachowują się jak dojrzali chrześcijanie.

Bóg całkowicie nas akceptuje przez Chrystusa, a nie dlatego, że jesteśmy dobrzy. Dlatego, że jesteśmy zaakceptowani i jest nam przebaczone, będziemy pragnęli poznać wolę Bożą w każdej sytuacji życiowej. Następnie, kiedy wiemy, co Go zadowala, możemy pracować z Jego pomocą nad postępami w tym. Nasze życie powinno być napiętnowane dobrocią, szczególnie w związkach z innymi ludźmi.

Zobaczysz, o co mi chodzi, odwołując się do następujących stronic w Piśmie Świętym: List do Rzymian rozdział 12 i 13; List do Kolosan, rozdział 3; Pierwszy List Św. Piotra Apostoła, 2:11 do 3:7.

Z drugiej strony istnieje możliwość tak dużego skupienia się na tym, co ziemskie, iż nie bylibyśmy użyteczni w sprawach Nieba. To byłoby również nierozsądne.

Pozwól mi zakończyć mówiąc o najlepszym, co jest przed Tobą. Cokolwiek przyniesie Ci przyszłość, możesz być pewien, że Bóg będzie Cię prowadził przez życie aż do końca.

"Wiemy też, że Bóg z tymi, którzy Go miłują, współdziała we wszystkim dla ich dobra, z tymi, którzy są powołani według [Jego] zamiaru. Albowiem tych, których od wieków poznał, tych też przeznaczył na to, by się stali na wzór obrazu Jego Syna, aby On był pierworodnym między wielu braćmi. Tych, zaś których przeznaczył, tych też powołał, a których powołał — tych też usprawiedliwił, a których usprawiedliwił — tych też obdarzył chwałą" (List do Rzymian 8:28–30).

Kiedy zwracasz się do Chrystusa, możesz nie zrozumieć całkowicie prawdy, o której mówi Paweł. Zwracamy się do Chrystusa, ponieważ Bóg wybrał nas, powołał do wzrastania jak On sam. Woła do nas. Jesteśmy usprawiedliwieni przez Niego i teraz to On pracuje dla naszego dobra. Pochwali nas, kiedy sprawi, że staniemy się idealnymi w dniu powrotu Jezusa.

Ten wielki Boży cel dla nas powinien sprawić, że będziemy pełni podziwu i strachu. Powinno to zmusić nas do podjęcia wszelkich starań przełamania naszej woli.

Krykiet jest dzisiaj jedną z najpopularniejszych ze wszystkich międzynarodowych dyscyplin sportowych i jest to wielkim honorem być wybranym do gry dla swojego kraju. Tylko jedenastu ze wszystkich tych, którzy grają w krykieta jest wybranych do gry w meczu próbnym. Wyobraź sobie, że Ty jesteś takim szczęściarzem, i że ja jestem kierownikiem drużyny. Kiedy nadchodzi dla nas ostatni dzień meczu, zdaję sobie sprawę, że jest tylko dziesięciu ludzi na boisku.

— Gdzie jest Tom Smith?

— Chyba poszedł na ryby — pada odpowiedź. Biegnę go szukać.

— Co ty tu robisz? Przebieraj się i idź na boisko! Są setki sportowców w tym kraju, którzy oddaliby wszystko za twoje miejsce. Nie zostałeś wybrany, żeby łowić ryby, zostałeś wybrany, aby grać w krykieta. Więc śpiesz się!

Być wybranym do drużyny Boga jest niesamowitym przywilejem. W Jego drużynie demonstrujemy całemu stworzeniu, jaki wspaniały jest Bóg (List do Efezjan 3:10,11), i mamy wzrastać na podobieństwo Chrystusa (List do Rzymian 8:29). Postaraj się być „na boisku", a nie „na rybach".

Postaraj się, aby sposób, w jaki trenujesz pokazał, jak poważnie traktujesz „grę" i jak wielkim przywilejem jest być wybranym.

Bez względu na to, czy „gra" jest długa, czy krótka, nie ma wątpliwości, kto wygra:

„Oto ogłaszam wam tajemnicę: nie wszyscy pomrzemy, lecz wszyscy będziemy odmienieni. W jednym momencie, w mgnieniu oka, na dźwięk ostatniej trąby — zabrzmi bowiem trąba — umarli powstaną nienaruszeni, a my będziemy odmienieni. (…) Bogu niech będą dzięki za to, że dał nam odnieść zwycięstwo przez Pana naszego Jezusa Chrystusa. Przeto, bracia moi najmilsi, bądźcie wytrwali i niezachwiani, zajęci zawsze ofiarnie dziełem Pańskim, pamiętając, że trud wasz nie pozostaje daremny w Panu."
(Pierwszy List do Koryntu 15:51,52,57,58).